LE CAVALIER SANS NOM

LA COLÈRE DES DIEUX
LIVRE 2

© 2006, Éditions Milan, pour le texte
© 2006, C. & J. Riddell Ltd, pour l'illustration
300, rue Léon-Joulin, 31101 Toulouse Cedex 9, France
Loi 49-956 du 16 juillet 1949
sur les publications destinées à la jeunesse
ISBN : 2-7459-2004-9
www.editionsmilan.com

Gérard Moncomble

Le cavalier sans nom

La colère des dieux

Livre 2

Milan

Tab[LE DES CHAP]ITRES

*Où le lecteur pourra derechef se régaler d'un seul coup d'œil
des multiples péripéties & rebondissements du récit.*

À Miloska,
princesse de l'est et de l'ouest.

La compagnie des oubliés

AVANT D'ENTRER DANS CE RÉCIT, IL FAUT ÉVOQUER LES épisodes passés. Cela a quelque importance pour qui veut suivre jusqu'à leur terme les extraordinaires aventures du cavalier sans nom.

Voici donc ce qui est advenu.

Par un soir d'orage, un jeune homme à cheval se fait capturer par des nains brigands. On l'emmène jusqu'à l'antre de M'mandragore, une gorelle friande de souvenirs, qu'elle consigne dans des grimoires. On l'assomme. Lorsqu'il s'éveille, le captif n'a plus de mémoire. Sa tête est vide comme une calebasse. Ce qui ne l'empêche pas de se rebeller contre son sort : il échappe à ses geôliers, mais échoue dans un lieu cerné de hautes falaises : le Cuvon. Il y rencontre les Bougres, aussi misérables que lui, et tout aussi amnésiques. Ensemble ils font face au Krabousse, un effroyable dragon, et à maints dangers. Ganachon, un cheval parlant, long de dix coudées, les y aide. C'est dans ce premier épisode que le jeune homme s'invente un nom : Achille Bouzouk.

Réussissant enfin à s'enfuir du Cuvon, Achille et les Bougres forcent M'mandragore à restituer les grimoires contenant leur mémoire. Ce qu'elle fait, attribuant volontairement à chacun des Bougres les souvenirs d'un autre. Sinistre vengeance ! Deux d'entre eux échappent à la catastrophe : Bouffe-Bœuf, le chef du clan, et Bel-Essaim, une Bougresse amoureuse d'Achille. Quant au jeune homme, ses quatre grimoires ont disparu. Contrairement aux deux Bougres, qui se moquent de leur passé, Bouzouk veut savoir qui il est, et d'où il vient. Il ira à la recherche de ses grimoires.

C'est alors que sa quête commence.

Sur le dos de Ganachon, lui aussi sorti du Cuvon, Achille Bouzouk part donc à la recherche de lui-même.

Il rencontre le Grand Gourougou, un vieux mage qui le prend en affection et lui enseigne la magie. Puis le jeune homme retrouve Bouffe-Bœuf et Bel-Essaim à la foire de Zoleil, une cité minière des Kronouailles. Il y croise Mille-Mots, un vieux scribrouillon, qui s'est procuré les quatre grimoires du jeune homme, afin d'y puiser inspiration. Hélas, le vieillard n'en a conservé qu'un seul, et très incomplet de surcroît. Néanmoins, Achille y glane quelques nouvelles d'importance : son nom, Martial de Morte-Paye, et celui de ses parents, sire Baroud et dame Guilledouce. Est indiqué également le lieu de son enfance : le fort de Morte-Paye, en Kronouailles. Il s'y rend en compagnie de ses quatre amis. Seul son père est présent – et quel père ! Un colosse harnaché de ferraille, sur le point de partir en campagne contre Knut le Fourbe, roi d'Opule. Une brute qui repousse durement son fils, puisque celui-ci refuse de l'accompagner à la bataille. Quant au nom de sa mère, il semble banni.

Atterré, Martial commence à prendre la mesure de son passé. Désormais pourvu du seul nom de Bouzouk, il jure de ne jamais ressembler à son guerrier de père.

Chevauchant Ganachon – devenu son destrier –, Bouzouk poursuit, avec ses compagnons, sa quête en pays d'Opule : Mille-Mots prétend en effet avoir vendu un grimoire à un soldard de là-bas, portant barbe verte.

Tous suivent donc le chemin pris la veille par l'armée de Morte-Paye. Ils tombent aux mains des Bblettes, monstrueux mercenaires au service du roi d'Opule, et qui ont décimé les envahisseurs. Bouzouk arrive à les vaincre par magie et délivre son père, prisonnier des geôles de Knut le Fourbe. Au cours d'une ultime entrevue, Baroud de Morte-Paye apprend à son fils qu'autrefois, sa femme, Guilledouce, a abandonné mari et enfant pour s'enfuir avec un trouvamour, Paulin d'Abba. Les deux amants auraient trouvé refuge au royaume d'Opule.

Après moult aventures périlleuses, Bouzouk retrouve sa mère, moniale au couvent d'Orfroi. Elle porte le nom de sœur Silence car, depuis la mort de Paulin d'Abba, étranglé sur ordre royal, elle a fait vœu de ne plus prononcer un mot. Aussi Bouzouk n'apprend-il rien d'elle, sinon qu'elle l'aime et ne l'a jamais abandonné. Il la quitte, quelque peu rasséréné.

Bientôt, il croise les traces du soldard à barbe verte, un nommé Crasse-Pogne, possesseur du deuxième tome de ses Mémoires. C'est au fond d'une mine de picaille qu'il met la main sur le grimoire.

Le jeune homme y apprend sa vie d'enfant et d'adolescent, faite de jeux, de musique, de poésie et d'art, parmi la cour entourant sa mère, Guilledouce. Trouvamours, baladins et poètes ont remplacé les soldards du château, partis durant cinq années guerroyer avec Baroud en des pays lointains. Bouzouk découvre l'amour de sa mère pour le trouvamour Paulin d'Abba. Le grimoire se termine sur le tumultueux retour de son père qui, fulminant de haine, chasse femme et amant. Martial restant près de lui.

Voilà où en est notre héros, quand débute le présent récit. Son moral est au plus bas. Cependant il poursuivra sa quête, qui demeure sa raison d'être. D'autant plus qu'un colporteur lui annonce qu'à l'occasion des épousailles de la fille du Kron, est organisé un tournoi de trouvamours. Le vainqueur sera seul autorisé à égayer la noce. Pour Bouzouk, c'est là une formidable occasion de pénétrer dans le palais du Kron, d'ordinaire inaccessible aux étrangers. Ainsi pourra-t-il chercher ce fameux perruquier royal, dont Mille-Mots assure qu'il détient le troisième grimoire.

Ce n'est pas le dernier tome de ses Mémoires, on le sait. Il restera encore un quatrième grimoire à trouver et d'immenses mystères à éclaircir. À n'en point douter, cela ne se fera pas sans obstacles ni coups de théâtre, comme il sied aux épopées.

Première partie

Le tournoi du Kron

Chapitre 1

Perché sur une haute branche, le zizoulizouli fouillait la vallée de ses petits yeux jaunes, quêtant une proie. Prêt à fendre l'air à la moindre alerte. Fluette, levraut, n'importe quoi ferait l'affaire, car il avait faim.

Alors le zizoulizouli jaillirait comme un trait d'arbalète, ses deux ailes repliées. Sans autre bruit qu'un atroce sifflement. Il y aurait un nuage de poussière sanglante, puis le cri victorieux de l'oiseau. Un cri grotesque, qui lui valait son nom : *Zizoulizouli ! Zizoulizouli !* Pépiement nasillard qui aurait fait ricaner la victime, si elle n'était déjà morte. Car le zizoulizouli était un tueur de la pire espèce.

Là-bas, près du ruisseau, des ombres fourmillèrent. Une volée de caillotes ! Dodues et frétillantes ! Dix au moins ! Le zizoulizouli sentit sa poitrine s'enfler. Il allait faire un carnage ! S'embâfrer jusqu'à plus faim de leur chair molle et parfumée ! Mais à l'instant où il allait fuser sur ses proies, un chant s'éleva.

Un chant sonore qui emplit soudain la vallée.

Les caillotes s'enfouirent sous terre et le zizoulizouli claqua du bec, dépité. Qui avait osé ? Sans doute un gros

tubar qui paradait devant sa femelle en faisant des voca-
lises. Quoique plus petit, le zizoulizouli n'en avait pas
peur. C'était son territoire. Il fallait punir l'intrus. Le lar-
der de coups de bec, lui lacérer le jabot... Pis encore.

Il s'élança vers le Bois-Bleu, d'où le chant semblait
venir. Lorsqu'il déboucha en sifflant dans la clairière, il vit
que le tubar n'en était pas un.

Qu'importe ! Le zizoulizouli piquait vers le pousse-
chanson. Il allait lui embrocher le cœur et personne n'aurait pu l'arrêter, pas même Ggrok, le dieu des
Marais-Puants.

Le gluth de Bouzouk, oui. *Tchaaac !* L'oiseau s'y
planta jusqu'au gosier, faisant sonner l'instrument d'un
accord bestial. Une chance que Bouzouk l'eût posé sur sa
poitrine pour en jouer ! Cela venait de le sauver.

– Par Zout le Bavachon ! mon gluth, volaille !

Le jeune homme fixait d'un œil coléreux l'oiseau
fiché dans le bois de son instrument, et dont les flancs pal-
pitaient encore. Pourquoi fallait-il, cornacul d'oseille ! que
tous les volatiles des environs envahissent le Bois-Bleu ?

Depuis qu'il avait décidé que l'endroit était parfait
pour roucouler ses chansons, des flopées d'oiseaux s'y
donnaient rendez-vous. Ils cernaient Bouzouk d'une nuée
d'ailes bruissantes, de gazouillis. Il s'y était habitué. Mais
ce zizoulizouli, bigrecaille !

Mille-Mots surgit, sa vieille figure plissée d'amuse-
ment.

– Bien, garçon, bien ! Tes goualantes charment
même la canaille ! À la cour, les dames vont se pâmer en
t'écoutant !

– Moi la première, gloussa Bel-Essaim, qui suivait à
dix pas. J'aimerais encore goûter ta voix, mignard.

Bouzouk se mit à rire. Il arracha l'oiseau comme on ôte un clou, et le balança par-dessus son épaule. Puis il pinça son gluth et entonna un dernier couplet :

Tes mains de doux velours
Ne sont que des caresses
Ton parfum tiède et lourd
Est une exquise ivresse
Viens mon joli tendron
Ô nous nous aimerons.

Il y eut un court silence avant que Bel-Essaim, les joues noyées de pleurs, ne détournât son visage. Ces vers la meurtrissaient. Elle aurait tant voulu être ce tendron-là. Mille-Mots fit la moue.

– La fin est faible, fils. *Ô nous nous aimerons* est une pauvre fiente. Tu peux faire mieux. *Gésir dans mon giron*, par exemple. Ou bien…

– Cesse donc, pisse-rimaille ! pesta Bouzouk. Les dames se contenteront de mes vers, ou elles iront se faire enroucouler ailleurs !

C'est qu'il en avait soupé, du Mille-Mots et de ses leçons de poésie ! Voilà presque deux lunes que le vieux scribrouillon lui enseignait l'art de se fleurir la langue. Deux lunes à faire rimer corbaillon avec poupillon ou croupillon, à se garnir la tête de mots clinquants, biscornus. Des mots d'amour de préférence : ceux qui aiguillonnent les cœurs et leur font battre tambour. Harassant !

Ce n'était pas tout ! Le vieux Trousse-Cœur, appelé à la rescousse, l'avait initié au gluth et à la manivelle. Il lui avait appris à jongler avec des balles, à danser la toupine et la pavotte, à exécuter des cabrioles, des tourniquettes.

Nombre de choses que Bouzouk avait pratiquées jadis à la cour de dame Guilledouce, sa mère ; mais qui s'étaient envolées depuis, avec le temps.

Trousse-Cœur lui avait aussi enseigné l'art de distraire les dames que l'amour a fuies, aux yeux ruisselants comme fontaines. Et mille autres choses nécessaires au beau métier de trouvamour.

Beau, mais rude. L'exercice exigeait adresse, force d'âme, intuition et grande malice. Toutes qualités que seul le temps enseigne. Deux lunes, c'était maigre, quand il en aurait fallu cent ! Bouzouk serait-il prêt à affronter la tripotée d'enjôleurs qui allait déferler sur le palais du Kron ? Des trouvamours de métier, ceux-là, habitués des ripailles. Devenir celui qui égayerait la noce avait de quoi aiguiser l'appétit de tous. La lutte risquait d'être rugueuse.

Mais Bouzouk avait-il le choix ? S'il voulait approcher le perruquier du Kron, celui-là même qui tenait son troisième grimoire, il lui fallait gagner coûte que coûte le tournoi. La Saint-Barde aurait lieu dans trois jours. Prêt ou non, Bouzouk était au pied du mur.

– Tu les emmielleras tous, mon mignard, dit Bel-Essaim.

Bouffe-Bœuf et Ganachon étaient d'accord. Bouzouk ne ferait qu'une bouchée de ces mange-pets et les dames connaîtraient des émois sans pareil.

Mille-Mots était plus prudent. Selon lui, le jeune homme n'était pas assez aguerri. Loin s'en fallait.

– Je partirai demain, dit Bouzouk.

– On t'accompagne tous, pistounet ! tonna Bouffe-Bœuf. Qu'on se régale à ton triomphe !

Bouzouk ne protesta point. Il se sentait aussi peu sûr de lui que possible. Il aima l'idée d'une tribu où se réfugier en cas d'échec.

La journée s'acheva autour d'une flambée. S'y joignirent Trousse-Cœur et dame Bouillotte, qu'on prévint. Le vieux trouvamour y alla de ses derniers conseils, que Bouzouk écouta patiemment. Puis, le kohol aidant, la compagnie s'enfiévra. On poussa complaintes et ritournelles, on joua du gluth. On dansa. Surtout, on se serra les uns contre les autres car leur faim d'amitié et de tendresse était grande.

CHAPITRE 2

 I L LEUR FALLUT UN LONG JOUR POUR GAGNER LES GORGES d'Zwmlgfsct et passer en Kronouailles. Le colporteur qu'ils avaient sauvé des brigands disait vrai : infranchissables il y a quelque temps encore, elles étaient à présent grand ouvertes. Nomades, colporteurs, mercenaires ou simples voyageurs s'y croisaient à l'envi. Non que les deux royaumes aient établi des liens quelconques, mais Knut le Fourbe, toujours esseulé et hagard dans son château, n'avait pas regarni de soldards les crêtes du défilé.

Cela faisait d'ailleurs les affaires de quelques roublards, qui y avaient installé des guérites, réclamant à chacun un droit de passage. Bouzouk et les siens n'y échappèrent pas. Sinon que Bouffe-Bœuf paya les chenapans en bonnes plaies et bosses.

Ils quittèrent donc le royaume d'Opule comme s'il s'était agi d'une vulgaire échoppe. Le soir, ils firent halte à l'auberge des Trois-Dadais. L'endroit était ordinairement rempli de coupe-jarrets, de tranche-bourse et surtout de pleuriotes, ces petites créatures aux quatre yeux larmoyants, qui servent souvent d'appât dans les embuscades. Mille-Mots connaissait bien les lieux.

– Certains clients n'en repartent pas, expliqua-t-il. Tout tranchaillés qu'ils sont. À moins que les pleuriotes ne les dévorent, car elles raffolent de chair humaine. Mais l'endroit y est plaisant, et la pitance acceptable.

Bouzouk, qui ne craignait rien ni personne, haussa les épaules et les autres suivirent. Pourvu qu'on les laissât manger et dormir, le reste ne les concernait pas.

Lorsque les cinq amis pénétrèrent dans la salle gorgée de fumailles et de suie, il se fit un soudain silence. Non pas méfiant, comme celui qui accueille l'étranger, mais attentif. On ne s'effrayait pas de la taille de Ganachon, ni du poids de Bouffe-Bœuf : on mesurait leur masse de viande. Les pleuriotes dardaient leurs quadruples yeux vers les nouveaux arrivants en s'humectant la bouche. Les autres jouaient négligemment du couteleau ou tripotaient de longues piques effilées.

C'était un soir de gourmandise et d'abondance.

– À bouffailler, aubergiste ! Le ventre nous grince ! tonna Bouffe-Bœuf d'une voix qui ébranla les murs.

L'un des trois dadais, un géant au crâne chauve en forme de courge, fit mine de s'affairer au-dessus d'une énorme marmite, un sourire béat sur sa face. Les deux autres, qui étaient en train de servir dans la salle, échangèrent des clins d'œil.

Le feu dormait dans l'âtre. Bel-Essaim se mit à tisonner les braises tandis que Bouzouk et les autres prenaient place près de la cheminée. Derrière eux, pleuriotes et compagnie se rapprochaient, tandis que s'élevait le cliquetis des lames qu'on aiguisait. Des ricanements fusaient çà et là. On avait déjà scellé le sort des inconnus.

L'heure était grave.

Dans l'air empuanti monta alors une voix suave, faite de miel et d'organdi, qui coula dans les oreilles comme doux sirop de nave.

Ô tendre croquebouche
Entends le gazouillis
Du fifrelai farouche
Au profond des taillis

Alentour on cessa d'avancer. Les yeux des pleuriotes s'arrondirent et les perce-panse vacillèrent sur leurs jambes. Il sembla que soudain l'auberge des Trois-Dadais devenait l'antre d'un dieu chantant. Tous s'assirent sur les dalles, pétrifiés.

Il te parle d'émois
Qui pétrissent mon âme
Il te parle de moi
Dont s'embrase la flamme

À part quelques crépitements dans l'âtre, le silence était total. Quiconque aurait respiré un peu fort eût été lapidé sur-le-champ. Puis les pleuriotes firent entendre leurs larmoiements habituels, qui ressemblaient à des cris d'oisillon. Le pépiement s'enfla jusqu'à devenir un énorme sanglot et Bouzouk haussa le ton pour se faire entendre. Sa voix s'affermit, claqua comme une voile de navire dans le vent et, hélas, se gonfla d'importance.

Car le jeune homme était peut-être plus enthousiaste que son public. Jamais il n'avait goûté encore les délices d'un tel concert, avec ces yeux innombrables qui ruisselaient, ces trognes alanguies, ces corps monstrueux qui se balançaient en cadence. Fasciné, Bouzouk mesurait son pouvoir, songeant à son avenir proche. Il chanta plus fort, comme s'il tentait de s'élever au-dessus de tous. Sous ses doigts, les cordes du gluth grondaient.

Ta menue main garrotte
Mon cou du bout du doigt
Elle mignarde et s'y frotte
Comme... comme...

Bigretrou ! les mots lui manquaient ! À force de remplir son ventre et sa gorge d'air, Bouzouk en avait perdu sa langue. La rime ne venait pas. Pis encore, elle le fuyait ! Sans cesser de pincer ses cordes, il se tourna vers Mille-Mots, les yeux en points d'interrogation.

– *Comme de l'eau qui ondoie*, fils ! *qui ondoie* ! lança l'autre.

Mais c'était trop tard. La magie avait volé en éclats et l'assistance revint sur terre. L'endroit se mit soudain à bouillonner comme les marmites de Mmolloche.

Criaillant et gesticulant, les perce-panse brandirent leurs couteleaux. Ventremort ! ces cinq voyageurs-là devaient avoir les chausses garnies de picaille ! Sus ! Sus ! hurlaient les trois dadais. Quant aux pleuriotes, après cet apéritif chantant, elles avaient une faim de goutre !

Tous fondirent sur les étrangers.

Mal leur en prit, car ils ne récoltèrent qu'une salve de crocrottins, tirée par Ganachon. Une seule, mais copieuse et puante, qui les fit refluer comme des pouaques affolés avant que Bouffe-Bœuf ne les défenestrât l'un après l'autre. Par Gozar, songeait le Bougre, que le public était ingrat !

La mine défaite, Bouzouk n'avait pas même relevé la tête.

L ES PREMIÈRES BLESSURES SONT LES PLUS CRUELLES. Bouzouk traîna quelque temps un air chagrin. Un air qui disait son échec de débutant, sa grogne de n'avoir pas su tenir son public en haleine jusqu'au bout.

– En te suçaillant le crâne, M'mandragore a dû gober quelques mots, cavalier, disait Ganachon.

Et Bouffe-Bœuf d'ajouter :

– À force de remâcher ta langue, tu l'as trouée, rien de plus !

Bel-Essaim haussait les épaules.

– Une bouche comme la tienne peut se contenter de remuer les lèvres, mignard.

Et chacun d'excuser le pauvre Bouzouk.

Mille-Mots, songeant à ce qui attendait le jeune homme, eut au contraire des phrases dures. Le scribrouillon savait, lui, le lent cheminement des mots. Il fallait être humble devant l'obstacle, et non se tartiner d'orgueil ! Bouzouk s'était cru du talent, il n'avait fait que le matamore ! Il était plus aisé d'être un Petit Gourougou qu'un baladin ou un poète, ventrepied !

– Le voyage jusqu'au palais est encore long, fils. Tu auras le temps d'apprendre, conclut Mille-Mots.

Ainsi chaque village, chaque bourg fut l'occasion pour Bouzouk de se mettre à l'épreuve.

Il ne rechigna pas. Ni devant des bergères enamourées, ni face à des glébeux assoupis. Il chanta pour une nuée de colporteurs, pour des enfants, des chiens, pour un charlatan, une moniale et des soldards. Il chanta même pour un vaurien nommé Drol, qui tentait de le détrousser.

Toutes les paires d'oreilles se valent, lui avait dit Trousse-Cœur. Il ne suffisait pas de ravir princes et dames. Un trouvamour devait plaire aussi aux plus freluquons des freux. C'est ainsi que son art était grand. Bouzouk eut des succès, mais aussi des échecs ; telle cette fileuse de soie qui trouva que la voix du jeune homme était rêche comme un drap de lin.

Un deuxième jour passa.

Au milieu du troisième jour, ils traversèrent Mont-Garou, un bourg planté en lisière de la forêt. Le parvis du temple grouillait d'une foule bruissante, agitée. C'était pure aubaine pour un apprenti trouvamour.

Bouzouk s'installa donc au beau milieu des gens. Il accorda son gluth et se mit à chanter tandis que Mille-Mots et les autres erraient parmi la foule, l'œil aux aguets.

Personne ne remarqua le chant du jeune homme. Il faut dire que le brouhaha était indescriptible.

Cependant Bouzouk n'éleva pas la voix, ne gratta pas plus fort son gluth. Il continua à égrener ses rimes, d'un ton égal. Tout en souriant à quiconque croisait son regard. Mais bien peu le faisaient ; les gens de Mont-Garou n'avaient pas la tête aux chansons. Ils cancanaient sur leur parvis. Des récoltes, du temps qu'il faisait, de leur échoppe. Un croque-note ne les intéressait pas le moins du monde.

Bouzouk ne se tint pas pour battu. Il ferma les yeux. Sa voix ne fut plus qu'un chuintement, ses doigts se firent légers comme duvet, son gluth tinta à peine. Il chantait pour lui, avec retenue. Bien sûr son chant était d'amour, comme il sied au baladin, mais d'une veine mélancolique.

Je m'enfuis au loin d'elle
Qui presse sur son sein
Aux heures infidèles
Le cœur d'un assassin

Alors qu'il cherchait le second couplet, Bouzouk entendit dans l'air un battement d'ailes, sentit un poids sur son épaule. Il ouvrit les yeux doucement, pour ne pas effaroucher la bête, et eut un haut-le-corps. L'oiseau était de pierre. Ainsi que le deuxième, qui se posa à ses pieds, et un autre, un peu plus loin.

Trois oiseaux de pierre grise, inclinant leurs faces monstrueuses pour écouter le trouvamour, comme des volatiles de belles et bonnes plumes. Quelqu'un dit :

– Les gargouilles du temple ! Ce rouquin les a réveillées !

Les gens levèrent la tête, inquiets, les enfants se serrèrent autour des parents. Le parvis, si bruyant tout à l'heure, se tut. Bouzouk poursuivit sa chanson.

Je vogue sur la mer
Et mes sombres pensées
Fleurent l'odeur amère
Des amants délaissés

D'autres gargouilles arrivaient, qui délaissaient la façade du temple et se posaient près du baladin. Lézards à tête de gruche, grifflons, dragorets. Tout un petit peuple d'ordinaire pétrifié, dont les gueules béantes semblaient soupirer. De leurs yeux vides coula un peu d'eau.

Je m'enallerai si fort
Que mes pas silencieux
Fileront sans effort
Jusqu'à la nue des cieux.

À présent, la foule muette était massée autour de Bouzouk, la bouche bée. Qu'un trouvamour ait ému le cœur minéral des gargouilles, cela les renversait. Tout le monde attendait la suite du chant que le jeune homme s'apprêtait à inventer. C'est alors qu'au beffroi du temple un carillon se mit à sonner à toute volée. En un clin d'œil, les gargouilles s'envolèrent, dans un tumulte affolé. On les vit regagner les murs de pierre et s'y fondre, de nouveau immobiles.

– Gozar n'aime pas qu'on ensorcelle ses créatures, gloussa Mille-Mots, rose de satisfaction. Mes leçons ont porté, je crois.

Bouzouk soupira.

– La vanité te rend sot, scribrouillon. C'est simplement l'heure du culte.

En effet, le parvis était en train de se vider comme un évier de souillarde. Les prêtres appelaient les fidèles à la prière.

Chapitre 4

L E SOIR DU TROISIÈME JOUR, LE PALAIS DU KRON APPARUT
à l'horizon. Colossale forteresse en briques rouges,
il avait la forme d'une étoile à huit branches, chacune dardant sa pointe vers des terres à conquérir, selon
la légende.

L'ouvrage était protégé au nord et à l'ouest par une
large boucle du fleuve Zyxx, à l'est par le pic d'Orlo. Au
sud, là où le palais s'ouvrait, le Kron avait fait creuser des
dizaines de fossés qui s'entrecroisaient à la manière d'un
labyrinthe. On les franchissait par d'innombrables ponts-
levis que des soldards actionnaient.

Les fossés étaient remplis de gobards, des petites
anguilles à la morsure venimeuse. Y foisonnaient aussi
pulpons, épinuches, boguedoursins. Plus au sud, enfin,
des fortifications barraient tout passage. Le seul accès
était un gigantesque portail, gardé par une escouade
d'hommes en armes.

C'est dire que le Kron détestait qu'on le dérangeât
dans son intimité royale.

Bouzouk et ses amis se présentèrent au portail
en exposant la raison de leur venue. Il y eut quelques

ricanements. On n'aimait pas les trouvamours chez les soldards. C'étaient des jean-foutre, des tortille-cul ; ce qui fut dit haut et fort. Bouzouk et les autres firent ceux qui n'avaient rien entendu. Le but était d'entrer au palais du Kron, non de déclencher une rixe.

On leur posa toutes sortes de questions indiscrètes. On les fouilla de fond en comble, sondant jusqu'à la queue de Ganachon, ou la toison bleue de Bel-Essaim. Enfin, on leur tripota les dents creuses pour vérifier si rien n'y était caché. Puis le capitaine des gardes les pria de faire demi-tour.

– J'ai dû mal entendre, dit Bouzouk. Répète-moi ça.

– Demi-tour, claque-bec. Ton rassemblement de fan-farons a lieu au pic d'Orlo. Nous ne laisserons passer que le vainqueur du tournoi. Ainsi en a décidé le Kron.

– Pourquoi nous avoir questionnés, palpés ?

– Et insultés ! ajouta Bel-Essaim.

Tout en se frisottant la pointe des moustaches, le capitaine toisa Bouzouk, et dit :

– Pour nous occuper, pissard. On s'ennouille, ici, au p…

Si le capitaine acheva sa phrase, personne ne l'entendit, sauf peut-être quelques corbaillons nichés dans les créneaux des fortifications. Car c'est là qu'il atterrit, Bouffe-Bœuf lui ayant botté l'arrière-train d'un maître coup de pied.

– S'ennouille-t-on aussi en-haut ? railla le Bougre.

Naturellement, l'affaire s'envenima. Les soldards hurlèrent à la trahison et empoignèrent masses d'armes, piques, hallebarques, épées. Comme ils étaient une tripo-tée, et très irrités, ils eurent tôt fait d'acculer les cinq voyageurs contre le rempart. Du haut de son perchoir, le capitaine leur ordonna de tailler en pièces ces colibrius, ces bousards à face de freux, ces culs-pointus ! Bouzouk se préparait à remuer l'orteil pour user de magie lorsque, derrière la meute de soldards, claqua une voix forte comme foudre.

– Par Amadou tonnant ! La honte ne vous étouffe donc pas, sacs à gnons, d'être vingt alors qu'ils sont cinq ?

Tout le monde se retourna, pour découvrir une femme bardée de cuir, les deux mains sur ses hanches. Elle était splendide, haute d'au moins quatre coudées, et coiffée d'une peau de baribou. À sa taille brinquebalaient de grosses gourdes.

Les soldards hésitaient, balançant entre mépris et indifférence. De quoi se mêlait cette grondasse ? Jusqu'à Bouffe-Bœuf, vexé qu'on les tînt pour battus alors que, ventrederche ! cinq comme eux valaient bien vingt trouebedon !

– Passe ton chemin, la belle, et laisse-nous gourdiner ces freux ! cria-t-il.

Pour toute réponse, la femme enflamma vivement un bâtonnet d'étoupe et saisit une de ses gourdes, dont elle but une gorgée. Puis, les joues gonflées, elle avança vers la troupe. Tous la regardaient, médusés. Que complotait-elle avec sa gorge truffée d'eau ?

– Du vent, grenuche ! aboya un soldard en faisant tournoyer sa masse.

Il y eut un ronflement bref lorsque les flammes jaillirent de la bouche de la femme, embrasant l'autre comme une torchère. Il se roula à terre, brailla que la peau lui fondait !

– Une dragonne ! hurla-t-on. Ggrok nous a envoyé une maudite dragonne.

Quelques hommes plus intrépides que les autres tentèrent de la cerner, piques en avant. Elle leur cracha un deuxième déluge de feu à la figure, puis un troisième et encore un autre. Enflammant ici une tignasse, là des chausses, ou un manche de hallebarque. À chaque fois, d'un geste vif, elle avalait une lampée d'une des gourdes.

Les soldards refluèrent vers le portail, épouvantés, à moitié rôtis. Sans plus prêter attention au capitaine, là-haut, qui les traitait de moulâchecouards, de pétochions ! La femme ponctua leur débandade d'un ultime jet de flammes, plus ronflant encore que les autres. Il sembla alors que portail, gardes, murs et capitaine allaient s'embraser, tant la lumière fut vive.

Une odeur de kohol et de cochon grillé flottait dans l'air, mélangée à une fumée noire, drue comme suie.

Bouzouk et la compagnie étaient aux anges. Qu'une femme fît reculer à elle seule la garnison du portail était aussi cocasse qu'inattendu. Bouffe-Bœuf regardait d'un œil intéressé cette dame de belle stature.

– Qui es-tu, belloiselle ? brama-t-il.

La femme ignora la question et alla se planter devant Bouzouk.

– C'est toi qui fais s'envoler les gargouilles, rouquin ?

Le jeune homme hocha la tête. Les nouvelles allaient bon train. La femme se frappa la poitrine de son poing, sourire aux lèvres.

– Je suis Gorge-Vermeille. Demain, nous nous mesurerons et je te battrai. Toi et les autres niquedouilles.

– Je ne te crains pas, dit Bouzouk. Mais je t'estime pour ce que tu viens de faire. D'autres m'auraient laissé crevailler.

Gorge-Vermeille eut un rire bref.

– Avec ou sans toi, demain soir, j'aurai gagné le tournoi.

Elle fit demi-tour et disparut à grands pas dans la nuit. Bouffe-Bœuf émit un sifflement admiratif.

– Bigrepouaque ! grogna-t-il, celle-là aurait fait une sacrée Bougresse !

Ils passèrent la nuit au milieu d'un champ. Seul Bouzouk parvint à dormir, d'un sommeil paisible. Les autres étaient trop inquiets à son sujet pour fermer l'œil, surtout Bel-Essaim, effarée par Gorge-Vermeille, la cracheuse de feu. Cette femme lui faisait peur. Elle était belle et Bouzouk l'intéressait. Une croquineuse d'hommes, à l'évidence. Bel-Essaim fulminait déjà de jalousie.

Elle veilla son mignard toute la nuit.

CHAPITRE 5

À L'AUBE, ILS SE MIRENT EN ROUTE VERS LE PIC D'ORLO, dont l'aiguille effilée tranchait vif le ciel rose. Dans la boue du sentier, des traces montraient que d'autres étaient déjà passés. À mi-pente, ils rattrapèrent un cortège de glébeux et de perruchières, qui expliquèrent que la moitié du pays s'était donné rendez-vous pour le tournoi et qu'ils étaient les derniers. Tous cheminèrent jusqu'à déboucher sur une vaste esplanade, creusée à flanc de montagne, et garnie de gradins en pierres. Un cirque entre terre et ciel.

La moitié du pays, c'était excessif. Mais sur les gradins régnait un joli tohu-bohu. Le public, plus féminin que masculin, était bruyant, frétillant. Glébeux et glébeuses en constituaient la plus grande part, mais on y trouvait aussi nombre de colporteurs, Poufs, fileuses, camelots, quelques bergères et, bien sûr, de la marmaille à foison, accompagnant les femmes. Sans parler de ceux qui suivent ordinairement les trouvamours : jongleurs, funambules, danseurs, montreurs d'oriflan, magillons, joueurs de manivielle. Ceux-là avaient pris place sur le pourtour de l'arène, prêts à émailler le tournoi de prouesses, de musique.

Au centre étaient les concurrents, au nombre d'une centaine, auxquels se joignit Bouzouk. Ganachon et ses compagnons se noyèrent parmi la foule des gradins.

Il se passa quelques instants où, dans l'arène, chacun sentit la sueur lui rouler sur le dos, ou empêcha ses mains de trembler trop. À côté de Bouzouk, un trouvamour du pays d'Orgon, blême de peur, comptait et recomptait ses doigts. D'autres priaient. Bouzouk repéra la haute taille de Gorge-Vermeille, qui jetait sur les gradins un regard déjà triomphant. Il y avait d'autres femmes parmi l'assemblée des trouvamours, mais elle était sans conteste la plus rayonnante. Vu ses exploits de la veille, elle serait un adversaire redoutable pour tous.

Puis un nommé Bugle-d'Or, maître des cérémonies, parut devant les participants. C'était le chambellan chargé des jeux à la cour du Kron. L'homme portait un habit chamarré d'orfle, de perles, de picaille. Il était suivi d'un petit groupe de personnages vêtus de pourpre. Le public se tut, impressionné.

– Trouvamours, le Kron vous fait l'honneur d'un tournoi ! Le meilleur d'entre vous enchantera yeux et oreilles de sa fille et la fera danser avec son fiancé, le Prinz Zzar ! De même que la cour et le Kron lui-même, s'il daigne brimbaler ses royales gambettes.

S'ensuivit la lecture du règlement. Six épreuves désigneraient les deux meilleurs trouvamours. Six épreuves techniques, où était mesuré, maille après maille, l'art des concurrents. Un duel opposerait les finalistes dans une ultime rencontre. Avant la fin du jour serait désigné le vainqueur du tournoi. Quoi qu'il advînt, insista Bugle-d'Or. Puis il désigna les personnes en rouge comme étant le jury, dont le verdict serait sans appel. Il conclut par un vigoureux : « Que le Kron croque qui craque ! », vieille formule qui disait le mépris qu'on avait des lâches, en Kronouailles.

Et l'on débuta le tournoi par l'épreuve de papote, parce qu'il était important pour les trouvamours de se huiler la voix avant la dernière joute, celle du chant. Il s'agissait de conter une histoire jusqu'au bout, si le public vous en laissait le temps. Le récit devait donc être habile, rondement mené et, drôle ou triste, parler au cœur des gens.

Les concurrents passèrent l'un après l'autre, racontant, qui une légende du pays d'Origan, qui un récit de bataille, qui des souvenirs d'enfançon. Certains s'emmêlaient les mots ou, à l'inverse, contaient haut et clair. On laissait parler l'un, interrompait l'autre, sifflait copieusement un troisième.

Bouzouk se tailla un franc succès en décrivant comment Ganachon avait vaincu le Krabousse avant de quitter le Cuvon et combien était précieux un pousse-crocrottins de cet acabit. Le cheval dut saluer le public, qui l'ovationna.

Cependant Gorge-Vermeille et quelques autres firent tout aussi bonne figure. À l'issue de la papote, si certains concurrents étaient distancés, rien n'était joué.

La deuxième épreuve fut celle de la danse. Non seulement chacun devait gambader le plus adroitement sur toupine ou moska, mais il lui fallait danser sur des musiques aux rythmes inconnus. Le plus pénible étant peut-être de supporter les insultes du public, qui traitait les danseurs de gigote-croupion et autres dandine-gropotin !

À ce petit jeu, Gorge-Vermeille se montra de loin la meilleure, suivie de près par un nommé Rigodon, qui dansait sur les mains. Bouzouk se classa honorablement, grâce à une série d'entrechats époustouflants, qui arrachèrent à Bel-Essaim des cris enthousiastes. Comme son mignard avait le mollet fin et souple ! bourdonnait-elle à ses voisins.

Pour la troisième épreuve, Bugle-d'Or, le maître de cérémonie, exigea des concurrents force cabrioles, loupilles, tourniquettes, toutes sortes d'acrobaties périlleuses qui décrochent les amygdales et mettent le cœur à l'envers. On s'exécuta, non sans se déchirer force muscles et tendons. À la fin de l'épreuve, il ne restait plus qu'une bonne moitié des trouvamours. L'autre étant partie traînant la patte, voire brancardée, sous les huées du public.

Bouzouk avait été de première force, enchaînant loupilles et galiponnes à la queue leu leu, courant sur les mains. Rigodon le suivait de près, ainsi qu'un certain Glousse-Bec et, bien entendu, Gorge-Vermeille.

Les amis de Bouzouk, Bel-Essaim en tête, songeaient déjà à la manière dont on fêterait la victoire du champion. Mais un tel tournoi est plein d'embûches, et ils allaient s'en apercevoir.

La quatrième épreuve, où l'on devait jongler avec des objets aussi curieux que visqueux, comme crapauds ou mottes de saindoux, fut l'occasion pour Rigodon de prendre l'avantage. Et nettement, puisque Bouzouk ne réussit pas à maintenir en l'air sa tripotée de savons humides, ni Gorge-Vermeille ses melons badigeonnés de graisse.

La cinquième, qui consistait à jouer un morceau de musique, sans encore chanter, vit une surprenante victoire de Glousse-Bec. Le trouvamour avait les doigts si délicats, si aériens, que les cordes de son fifrelyre résonnaient avant même qu'il ne les touchât. En revanche, Bouzouk, nerveux, rata quelques accords sur son gluth, ce qui lui valut une note médiocre.

À l'issue des cinq premières épreuves, ils étaient encore quelques-uns à prétendre à la finale. Dans les gradins, Ganachon, Mille-Mots et les deux Bougres se rongeaient le cœur d'inquiétude. Ventresouque ! la bataille était plus rude que prévu !

Vint enfin l'heure de la sixième épreuve, celle du chant. Épreuve royale, qui allait désigner deux concurrents pour l'ultime duel.

Bouzouk sentait sa gorge se nouer peu à peu, ses membres se raidir. Quelque chose comme le trac. Et le sourire de Gorge-Vermeille, sûre d'elle, n'arrangeait rien.

CHAPITRE 6

*L*A LUNE AU CIEL SI PÂLE
En cette nuit exquise
Couvrit d'ombre et d'opale
Le front de la marquise

Les derniers vers de Gorge-Vermeille tintèrent longtemps dans le silence. Sur les gradins tous s'étaient tus,
fascinés par la voix de la belle chanteuse. Ainsi que par
ses mots si ronds, si lisses, harmonieux comme champ de
blute au printemps. Elle chantait l'amour mélancolique,
celui qui troue le cœur et l'âme. Son chant était pure
merveille.

Elle s'inclina sobrement sous les hourras du public et
laissa la place. Elle venait de gagner haut la main sa place
pour la dernière épreuve.

Ce fut le tour de Bouzouk, qui s'avança au centre de
l'arène. Il était le dernier à passer. De tous les autres pré-
tendants à la finale, seul Glousse-Bec s'en était bien tiré.
Pour que Bouzouk le devance, il fallait que son chant soit
de belle trempe. Il en était capable, on le sait.

Mais peu à peu un trouble étrange l'envahissait. Sa
langue s'engluait et, sous ses pieds, le sol de cendres

vacillait. Un instant, il pensa recourir à la magie, mais se retint. Réussissant à avaler enfin une goulée d'air, il ouvrit la bouche.

Gueule d'anchois
J'suis tout d'guingois
Bancal comme un pain d'trois livres

La voix qu'on venait d'entendre ressemblait au coassement du gnour. Et les mots, bigrecouac ! Des mots de soldard, de compte-culasse ! Sonores, avec ça. Car Bouzouk avait beau serrer les lèvres, l'horrible chanson continuait à lui traverser les joues.

Gueule de bois
J'suis çui qui boit
Pour oublier qu'il est ivre
Mort et enterré

Pauvres rimes ! Pauvres phrases ! Il se mit les mains en travers de la bouche, pour comprimer la bouillie qui en sortait. Rien n'y fit.

Quand tu r'viendras
Ma pauv' grondasse
Je s'rai encore là
L'nez dans ma tasse !

De nouveau les gens se taisaient, mais d'un silence terrible. Un silence tonitruant. Les yeux étaient ronds, comme les bouches. Ce qu'on venait d'entendre était si inattendu qu'un instant on crut à une hallucination. On se pinça, on se frictionna les oreilles. Y compris Bel-Essaim et la compagnie. Puis lorsque retentirent les deux derniers vers,

Alors si j'ai l'gosier sec
verse un' goutte et clos ton bec !

on se mit enfin à siffler, huer, glapir, gronder, vociférer, tonner ! Des femmes jetèrent des cailloux sur Bouzouk, d'autres en appelèrent aux foudres de Ggrok. Quant aux personnages en rouge, ils hoquetaient. Jamais de mémoire de jury on n'avait entendu trouvamour si pitoyable. Tous, d'un même geste, tracèrent un trait de plume sur le nom de Bouzouk. Le maître de cérémonie annonça que Glousse-Bec arrivait second et qu'il affronterait Gorge-Vermeille en finale.

Bouzouk, terrassé, quittait l'arène en titubant.

C'est alors qu'une voix roula dans l'air, sur les gradins, parmi les rochers alentour.

– Glousse-Bec n'est qu'un tripotard ! Un vendeur de pets !

L'intéressé pâlit, se tourna vers Gorge-Vermeille, qui venait de parler.

– Que dis-tu, maudite grenuche ?

La cracheuse de feu empoigna Glousse-Bec par le col et lui siffla :

– Je connais ta chanson à boire, peigne-trou ! Tu me l'as chantée un soir que tu étais soûl ! Et sans remuer les lèvres, en bon ventriloque !

Ventriloque ! Le mot acheva la déroute de Glousse-Bec. Ainsi c'était lui qui avait mis ces infâmes paroles dans la bouche du jeune homme ! Le trouvamour se mit à pleurnicher qu'il avait six enfants et que... mais personne ne l'écoutait plus. On réclamait Bouzouk, on exigeait Bouzouk !

Bugle-d'Or pria le jeune homme de se faire entendre de nouveau et tout rentra dans l'ordre. Ragaillardi, Bouzouk distilla des rimes chatoyantes, les mots lui coulèrent des lèvres comme de l'hydromel. Le public fut ravi, le jury conquis. Ainsi vont et viennent gloire et déshonneur. Bouzouk gagna sa place en finale, Glousse-Bec manqua d'être lapidé et s'enfuit dans la montagne.

– Tu es le seul adversaire à ma taille, rouquin ! répondit Gorge-Vermeille à Bouzouk venu la remercier. Mais pour la suite, je serai sans pitié, rassure-toi.

– J'aimerais que tu sois pire encore, dit Bouzouk. Ta générosité me pèse.

CHAPITRE 7

L E TUMULTE QUI S'ENSUIVIT RÉSONNA LONGTEMPS DANS LES gradins. Émoustillés, les hommes sifflaient copieusement Gorge-Vermeille ; quant aux femmes, elles faisaient des œillades à Bouzouk, lui envoyaient des baisers de la main. Ces deux-là plaisaient beaucoup, même aux enfants, qui aiment les héros.

On fit sonner buglins et trompelettes pour annoncer la septième et dernière épreuve. La foule fit silence.

Cette fois, il s'agissait de tout autre chose : une joute. Ni règle, ni consigne. Les deux trouvamours devaient user de leur savoir-faire comme bon leur semblerait, à tour de rôle. Chaque attaque de l'un appelant une riposte de l'autre. Perdait celui qui ne trouverait pas la bonne parade.

Les deux adversaires se tinrent face à face. Gorge-Vermeille avait des gourdes à la ceinture, une manivielle sur l'épaule. Bouzouk, son gluth. Il avait tiré au sort le droit de commencer. Tout de suite, et peut-être trop tôt, il usa de la parole, qui est l'arme suprême. Il rugit :

Longue est la nuit sans toi dans ce désert de glace
Où les pierres se fendent comme des rires tristes

À quoi Gorge-Vermeille rétorqua :

Vide est le jour sans toi sous le ciel qui menace
Où les nuages noirs ont des sanglots sinistres

Tonnerre d'applaudissements, hochement de tête de Bugle-d'Or. La femme avait parfaitement répondu. Puis prenant son instrument, elle en fit sonner les cordes. La musique enfla très vite, jusqu'à rouler sur Bouzouk, qui para l'attaque par une gambille, levant les jambes très haut, frétillant des mollets. Il tournoya longtemps, les poings fichés sur ses hanches, se payant même le luxe, au final, d'entraîner Bugle-d'Or dans son tourbillon. Les deux hommes dansèrent sous les vivats de la foule.

Le public était partagé. Comme il y avait une majorité de femmes, on penchait pour le beau Bouzouk. Mais Gorge-Vermeille avait su toucher les cœurs, avec son attitude chevaleresque. On balançait.

– À moi, maintenant, dit Bouzouk, et il lança à Gorge-Vermeille une poignée de ducons qu'il avait dans ses chausses.

On crut que l'autre allait laisser échapper une ou deux pièces, tant elle parut surprise. Mais se jetant au sol, elle réussit à tout intercepter. S'ensuivit une habile jonglerie, qui, dans la lumière du couchant, fit étinceler l'essaim des ducons. Du grand art. À la fin, Gorge-Vermeille expédia la monnaie dans les gradins, ce qui provoqua un beau chambardement.

À présent, c'était son tour. Bouzouk la vit avec inquiétude attraper l'une de ses gourdes. Elle en lampa une gorgée, fit jaillir une flammèche d'entre ses doigts, et vomit une première gerbe de feu.

Bouzouk dut exécuter une superbe tourniquette pour y échapper. Tout de même, on sentit une odeur de poils roussis. Au deuxième jet de flammes, il s'en tira par une galiponne, au troisième, par un saute-glouton. Il n'y eut pas de quatrième gerbe, heureusement pour lui.

Sur les gradins, on exultait. Dans le crépuscule qui assombrissait le ciel, cet étrange ballet avait été comme un feu d'artifice.

Bouzouk haletait. Il commençait à fatiguer. S'il ne trouvait pas d'ici peu une attaque imparable, il serait battu. Gorge-Vermeille était une redoutable rivale. Et point essoufflée du tout, elle.

Le jeune homme serrait son gluth avec tant de force qu'on entendait le bois gémir. Il pensa qu'une chanson gaie troublerait Gorge-Vermeille, plus à l'aise dans la complainte mélancolique. C'était sa dernière cartouche. Plaquant trois joyeux accords, il lança ce vers :

J'ai l'amourette qui tournicote

Auquel l'autre riposta par :

J'en perds la tête ! Viens, qu'on bécote !

La réplique laissa Bouzouk sur le flanc. Gorge-Vermeille, hilare, cherchait déjà comment achever l'adversaire. D'une charade, d'un récit de voyage.

Un murmure monta des gradins. On frémissait déjà à l'idée d'un Bouzouk vaincu, lorsqu'un oiseau gris se posa dans l'arène. Vol saccadé, cri déchirant, il atterrit gauchement aux pieds de Gorge-Vermeille. Quêtant un réconfort, une parole. La jeune femme se troubla une seconde, agacée. Ce n'était pas le moment, ventrebec ! Le rouquin s'écroulait, en face ! Elle repoussa sèchement l'oiseau, qui voleta en piaillant jusqu'à Bouzouk, se percha sur son bras.

Et l'on vit le rouquin lui caresser le cou, consoler son chagrin d'un murmure très doux. Avait-il perdu son oiselle, était-il triste d'un amour brisé ou fatigué de vivre ? Qu'importait ! Bouzouk sut si bien apaiser sa peine que l'oiseau s'envola bientôt, poussant un cri radieux, vers le soleil couchant.

La scène avait rendu les gradins muets de stupeur. Égayer la détresse est le mieux qu'on puisse attendre d'un trouvamour.

Gorge-Vermeille sut qu'elle venait de perdre la partie.

ÉCRIRE LE BONHEUR DE GANACHON, DE MILLE-MOTS ET des deux Bougres est impossible. La foule tout entière, dans sa clameur, n'arriva pas à couvrir les hurlements des quatre amis. Lorsque Bugle-d'Or, le maître de cérémonie, eut proclamé Bouzouk vainqueur, ils déboulèrent dans l'arène, l'étreignant, le lançant en l'air en glapissant des « ho ! » et des « hisse ! ». Puis ils laissèrent le public déferler à son tour sur la cendrée, entourer le champion, le toucher.

Gorge-Vermeille, belle perdante, vint saluer son adversaire, le serrant longuement sur sa poitrine. Geste généreux, que chacun apprécia, excepté Bel-Essaim.

– Le tournoi fut splendide, rouquin ! La suite le sera moins. La cour du Kron est remplie de culs-pincés ! Ils n'auront pas l'enthousiasme des glébeux !

– Je me méfierai, dit Bouzouk. Je sais la morgue des puissants.

Il monta sur Ganachon, frétillant comme un poulain, et, suivi d'une foule chaleureuse et bruissante, descendit dans la vallée.

Le lendemain, Bugle-d'Or l'accompagna au palais. Lui seul, ses quatre compagnons n'étant pas autorisés à franchir le portail. La cour du Kron n'avait que faire de tels énergumènes.

Avant de les quitter, Bouzouk les rassura. Il était là pour trouver un perruquier et le troisième grimoire. Pas moins, mais pas plus. Il serait vite de retour.

Bouffe-Bœuf hocha la tête, puis :

– On dresse une tente ici et on t'attend. Personne ne nous délogera. Pas vrai, maréchon ?

Bougne-Sec, le capitaine des gardes, auquel ce discours s'adressait, fit celui qui ne reconnaissait personne. Il s'empressa d'acquiescer. La séance de l'autre soir lui suffisait amplement. Il se jura néanmoins de rosser ces freux, trouvamour en tête, dès qu'il en aurait l'occasion. Pour l'instant, le triomphe de Bouzouk les mettait hors d'atteinte.

Après avoir franchi les cent ponts-levis enjambant les fossés, le jeune homme entra donc au palais. Vu de l'extérieur, c'était colossal, majestueux. À l'intérieur, aussi sinistre qu'une prison. En dehors des gardes arpentant les couloirs ou flanquant les portes, il n'y avait quasiment personne. Un couple de grifflons, deux ou trois serviteurs s'empressant vers les cuisines, quelques drillons curieux accoudés aux fenêtres.

– La cour échafaude les cérémonies, dit Bugle-d'Or. Tout le monde est dans la chambre du Kron, à bavotter comme pies.

Ils arrivèrent devant une double porte garnie de soudards en armes. Le chambellan poussa un des battants, découvrant un salon rempli d'une foule enfiévrée. On caquetait, piaillait, pérorait, bras dessus, bras dessous. On se chuchotait des secrets à l'oreille. Cent visages enfarinés ou peinturlurés, tous coiffés de perruques bariolées. Et, flottant par-dessus, chapeaux brodés, voilettes, toques empanachouillées.

C'était la cour au grand complet, en pleine délibération.

Au centre, sur un lit à baldaquin farci de gros coussins, était allongé le Kron. Bugle-d'Or prit Bouzouk par l'épaule et le mena devant la couche royale.

– Voici le vainqueur du tournoi, un nommé Bouzouk. C'est lui qui égayera les noces de votre fille.

Le Kron tourna vers Bouzouk un visage pâle, bouffi, mangé par la barbe.

– Vraiment ? grogna-t-il.

Bouzouk songea aux formules de politesse que lui avait enseignées le Grand Gourougou pour s'adresser au Kron. Il en choisit une parmi les plus sobres.

– Plaise à Gozar d'ensemailler scorpions et orties dans les chausses de tes ennemis, ô Kron.

Ce qui fit rire l'autre à gorge abattue, car la formule n'était plus employée à la cour depuis des lustres. Ses yeux examinèrent brièvement le jeune homme. Le regard était incertain, presque trouble.

– Il faudra être gai, demain, gazouilleux. Ma fille s'afflige de quitter son père en prenant un mari.

– J'entends, Kron, dit Bouzouk. Je ferai de mon mieux.

– Son mieux est le meilleur des mieux, pérora Bugle-d'Or.

Autour du lit, on s'agita soudain. Le brouhaha devint plus aigu et quelqu'un pépia :

– On vient, Kron ! Zzar et ses guerrillards !

L'instant suivant, les battants de la porte s'ouvraient à la volée, d'une même poussée violente, bousculant quelques drillons qui s'y frottaient. Un homme vêtu de noir entra à grandes enjambées, suivi d'un cortège de soldards harnachés de ferraille sombre – des géants d'au moins cinq coudées. Tous portaient un heaume masquant leur visage. La cohue des courtisards, à présent silencieux, reflua vers les murs pour livrer passage. L'homme alla droit vers le Kron. Il était livide, la bouche grimaçante.

– La princesse refuse de me recevoir, éructa-t-il.

– Si tu veux la forcer comme tu forces ma porte, Zzar, je la comprends.

L'homme fit visiblement un effort pour se maîtriser. Sa voix baissa d'un ton :

– Pardonne-moi, Kron. L'amour m'aveugle.

Amour. Le mot sonnait mal dans la bouche mince et dure, qui poursuivit :

– J'exige de lui parler et qu'elle me parle. Son silence m'est injure.

Le Kron soupira.

– Ça s'arrangera, crois-moi. Ça s'arrange toujours, avec le temps. Arme-toi de patience, Zzar.

– Par Ggrok ! Patience est un mot indigne de nous, Kron ! Un mot de moulâchecouard ou de grondasse !

Le Prinz Zzar fit demi-tour, entraînant avec lui ses hommes, qui martelèrent le parquet de leurs bottes. La double porte claqua fort.

Le brouhaha repartit de plus belle, cette fois plus aigu, plus cancanant. On commentait l'affront, pis, le sacrilège ! Ce Prinz Zzar était un bousard, une rognure d'os !

– Paix, les gruches, paix ! brailla le Kron. C'est la passion qui enfle les mots du Prinz, rien de plus ! Qu'il bave son venin ! J'en ai vu d'autres ! Et ma fille aussi !

Puis il se vautra dans ses coussins et, quelques secondes plus tard, dormait à pleines ronflées. Les courtisards gagnèrent sans bruit la sortie. Tout comme Bouzouk, éberlué par ce qu'il venait de vivre, et Bugle-d'Or, qui connaissait son maître.

C'est que le sommeil du Kron était sacré, au palais. Plus sacré que le nom de Gozar, le dieu des dieux. Vénéré, même. Le Kron adorait dormir, le Kron aurait aimé dormir aussi profond qu'une momie dans son tombeau.

Surtout quand il avait à mâcher et remâcher de sombres pensées.

Bugle-d'Or emmena Bouzouk à travers le palais, afin qu'il mesurât l'ampleur de sa tâche. Certes, le mariage se ferait dans l'intimité, sans convoquer le ban et l'arrière-ban des nobles et nobliaux. Le Kron, qui était de la race des avares, avait jugé la chose inutile. Certes, certes, ronchonnait Bugle-d'Or. Mais les préparatifs n'en restaient pas moins lourds.

La célébration était prévue pour la nouvelle lune, le lendemain soir. Il restait donc deux longues journées pour réfléchir au déroulement des épousailles : cérémonie dans la chapelle, festin et fête au donjon. Il fallait décider ce que Bouzouk y ferait, et prévoir le moindre détail.

Le jeune homme serait au centre du dispositif, assisté d'une tripotée de jongleurs, acrobates, musiciens, funambules, cracheurs de feu et autres. Rien ne devrait être laissé au hasard, insista Bugle-d'Or. Et d'expliquer, de montrer, de commenter, de prévenir.

Bouzouk fit mine de s'intéresser à la chose, mais son esprit battait la campagne. Peu lui importaient ces noces et leurs ripailles ! Il était dans la place, à traquer son passé.

Arpentant ainsi les couloirs et les salles du palais, il finit par repérer ce qu'il cherchait : la perruquerie.

Vers le soir, Bugle-d'Or l'emmena aux écuries, afin de lui montrer sa couche : un lit de bonne paille odorante, comme il sied d'ordinaire aux trouvamours. Bouzouk remercia et, sitôt le chambellan parti, remonta dans les étages.

La porte de la perruquerie était entrebâillée. Avant même d'y entrer, il en huma les subtils parfums : aguiche, poivronne, hupette ou flambre, chacun se détachait pour flatter la narine. Les perruquiers étaient généralement connus pour en user avec excès, ce qui faisait de leur boutique un antre puant. Ici, au contraire, c'était merveille.

– Tu veux changer de poils, grenouille ?

Un petit homme apparut, souriant de toute sa bouche, qu'il avait peinte en rouge. Il était mince, vêtu d'un pourpoint blanc, piqué d'épingles d'or. Une odeur de violette s'exhalait de sa personne. Il toucha les boucles de Bouzouk d'un doigt connaisseur.

– Tes crins de rouquin feraient fureur à la cour. Je te les échange contre une crinière d'anogre, si tu veux.

Il poussa le jeune homme à l'intérieur de la perruquerie. C'était impressionnant. Perchés sur de longues tiges de bois, cent visages de cire pointaient sur l'arrivant leur regard fixe – chacun coiffé d'une perruque. Lèvres pourpres, pommettes roses, yeux de porcelaine. Cent figures silencieuses et livides.

– Ma famille, mes amis ! gloussa le perruquier.

Un des murs disparaissait sous un incroyable amas de perruques de toutes couleurs, de toutes formes. Sur les autres, des miroirs, des psychés. Le petit homme zigzagua parmi les crânes de cire, et ramena bientôt une dizaine de perruques, qu'il proposa tour à tour au jeune homme. À chaque fois, Bouzouk secouait la tête.

– Mais que veux-tu, à la fin ? soupira l'autre.

– Je cherche une figure mangée de trous, avec deux dents de rat sur le devant de la bouche.

L'autre éclata d'un rire aigu.

– Que ne le disais-tu pas, roussette ! Tu veux changer de tête ? Chez Mascaron, rien d'impossible ! Suis-moi !

Un brin étonné, Bouzouk emboîta le pas du nommé Mascaron, qui ouvrit une porte dérobée. La pièce était sombre, de lourds rideaux tamisant la lumière des fenêtres. Sur une table, des chevalets supportaient d'autres visages, sans yeux cette fois.

– Des masques, mon ami. Faits de peau humaine et de vrais cheveux. De loin, on les prendrait pour du vrai. Mais j'ai mieux pour toi.

Il tira un loquet, au battant d'une armoire. Posées sur des étagères, chacune dans une écuelle remplie d'un liquide jaunâtre, quelques têtes le regardaient. En cillant des paupières, gênées par la soudaine lumière.

– On... on dirait... balbutia Bouzouk.

– Parfaitement, crins-rouges. Elles sont vivantes, et elles cherchent un corps où se greffer. Le chirurgien du Kron est très habile. Les gens adorent changer de tête, crois-moi.

Il referma la porte de l'armoire.

– Mais une face mangée de trous avec deux dents de rat ! Quelle idée d'avale-crottes, toi qui as la figure aussi jolie qu'un cœur !

– En réalité, je cherche un homme qui a ce visage. Un perruquier, comme toi.

Mascaron fronça les sourcils. Il était le seul perruquier du palais et cela depuis fort longtemps. D'ailleurs, qui diable pouvait avoir besoin de perruques, en dehors des courtisards ? Il ne se connaissait pas de collègues, non. Peut-être au pays d'Orgon, ou en Assussie...

– Et que lui veux-tu, mon mignon ?

– Il m'a volé un trésor inestimable. Je désire le lui reprendre.

Intrigué, Mascaron souhaita en savoir plus, mais Bouzouk le salua et s'engouffra dans les couloirs. Il était déçu, amer. La piste s'arrêtait net, une fois de plus. Lui vint l'idée que l'acquéreur de son troisième grimoire avait pu mentir à Mille-Mots, en se gonflant d'importance : se proclamer perruquier du Kron flattait l'auditoire aussi bien que le vantard. Si c'était le cas, le grimoire était à mille lieues d'ici. N'importe où. Et il ne servait à rien de rester une heure de plus dans cette forteresse sombre et vide, à jouer au trouvamour. Faire danser la moska à une meute d'emplumaillés, merci bien ! Qu'ils aillent ratacuire dans les marmites de Mmolloche, avec le Kron et toute la clique !

Ainsi ruminait Bouzouk, quand le sol cliqueta d'éperons et de bottes ferrées. Des ombres surgirent, armées de piques. Bouzouk s'enfonça dans l'encoignure d'une porte. Il ne tenait pas à croiser le Prinz Zzar et ses guerrillards. Le fiancé avait des manières vraiment trop déplaisantes.

Le cortège passa devant lui sans le voir, pour s'arrêter un peu plus loin, devant un battant enguirlandé de soie blanche. Zzar y toqua trois fois de son poing ganté.

– Ouvre. Je veux te parler.

Long silence. Zzar frappa plus violemment encore et hurla :

– Je suis ton fiancé ! Demain soir, ton mari ! J'ai le droit de te voir !

Puis, comme le silence semblait s'épaissir, le Prinz ordonna :

– Guerrillards ! Qu'on enfonce la porte !

Cette fois, plus question de manières déplaisantes : ce goujat frisait la grossièreté.

CHAPITRE 10

LA PORTE ÉTAIT MINCE, COMME LE SONT CELLES QUI ornent les chambres de princesse – tant il est rare qu'on les prenne d'assaut. Le bois menaçait donc d'éclater sous les manches de pique lorsque Bouzouk surgit, et, ignorant les guerrillards, se planta sous le nez de Zzar.

– Ce n'est pas ainsi qu'on gagne le cœur d'une dame, Prinz.

L'homme en noir le dévisagea comme on regarde un étron d'abeille. Bouzouk poursuivit :

– Je sais des mots d'amour qui font mouche à coup sûr. Des propos emmiellés qui terrassent les femmes. Veux-tu que je te les enseigne ?

– Qui es-tu ?

– Bouzouk, trouvamour. Tu aimes cette femme ?

– Je la veux.

– Aime-la d'abord. Tu l'auras si tu l'aimes.

– C'est qu'elle ne m'aime pas, la greluche.

– Elle t'aimera si tu l'aimes longtemps.

– En es-tu sûr ?

– J'ai déjà connu mille femmes, Prinz. L'amour m'est familier.

Il n'y eut pas de réplique. Zzar pesait le pour et le contre. Il n'hésita pas longtemps.

– Et ces mots que tu sais ? murmura-t-il.

– Retrouve-moi dans une heure, au seuil des écuries. Je te les apprendrai. Demain soir, je vous ferai danser, elle et toi.

Étrangement, ces paroles échangées calmèrent le Prinz. Il fit un geste et les guerrillards se retirèrent. Puis, à Bouzouk :

– Si tu m'es utile, tu auras récompense, baladin.

Le jeune homme s'inclina, le poing sur le cœur, tandis que Zzar s'éloignait. Le martèlement des bottes s'évanouit, le silence retomba. Bigredigue ! voilà ce qui s'appelait redresser une situation périlleuse ! Mille-Mots aurait apprécié cette victoire des mots sur la force brutale. Mais le Prinz Zzar ne renonçait pour l'instant qu'à défoncer une porte, guère plus. Quant à Bouzouk, il se voyait cloué par une promesse qu'il faudrait bien tenir. Enseigner des mots d'amour à ce grondin, bel exercice de trouvamour ! Et quel fichu casse-tête !

À moins de laisser chacun se débrouiller avec son destin. Oui, c'était le plus raisonnable.

– Entre, trouvamour. Entre, s'il te plaît.

Une voix de femme. Étranglée, tremblante, mais belle. Elle venait de la porte ceinte de soie blanche, à présent entrebâillée.

La princesse.

Par Zout ! en quelle carambouille allait-il encore se fourrer ? Il hésita, puis poussa le battant. À trois pas, découpée dans le cadre d'une croisée, à contre-jour, se tenait une silhouette fine, coiffée de voiles. Il ne distinguait pas son visage.

– Ferme vite.

Ce qu'il fit, avec précaution, comme s'il avait peur d'abîmer cet instant par un bruit malencontreux. Le cœur lui battait fort sans qu'il comprît pourquoi. Il y avait dans la chambre un parfum doux, fragile. La pénombre l'empêchait d'y voir à trois pas.

– Tu m'as sauvé la vie, trouvamour, dit la princesse. Si ce freu était entré, je sautais dans le vide.

Il est des mots qu'on lance parfois à la légère. Bouzouk comprit que ceux-là n'en faisaient pas partie.

– Tu vas vraiment l'instruire de mots d'amour ? reprit-elle.

– J'ai promis. Même si c'était pour préserver le bois de ta porte.

– Ça ne changera rien.

– Qu'en sais-tu ?

– Je le sais. Jamais cet homme ne m'approchera. Jamais, tu entends ?

Bouzouk entendait. Il se sentit curieusement proche de cette princesse perdue dans son palais vide. Avec un père qui dormait et un fiancé colérique.

Il y eut soudain des bruits d'armure dans le couloir. Des éclats de voix. Les gardes commençaient leur ronde et arpenteraient les couloirs toute la nuit. Par Zout le Glandu ! songea Bouzouk, comment sortir d'ici sans se faire repérer ? Ni compromettre la princesse ? Inutile de parler de ce qui s'ensuivrait si la chose était rapportée au Prinz. Le jeune homme sentait déjà le lacet du bourreau lui caresser la gorge.

La princesse se précipita à la croisée, s'y pencha gracieusement.

– La vigne court jusqu'en bas. Fuis par là, personne ne t'y verra.

Elles en avaient de bonnes, les princesses ! Comme s'il était aisé de dégringoler au moins vingt coudées, dans l'obscurité, sur une treille ténue comme dentelle, au risque de se rompre le col !

C'était pourtant la seule solution et Bouzouk enjamba le rebord de pierre. Avant qu'il ne disparût, happé par la nuit, la princesse lui retint le bras.

– Est-ce vrai que tu as aimé mille femmes ?

Bigrecraque ! fanfaronner devant un Zzar avait été facile. Mentir à cette jeune fille lui sembla tout aussi impossible que de lui avouer la vérité. Le cœur bourdonnant, il se mit à descendre pour ne rien lui répondre.

D'abord le branchage résista, parce qu'il tâtait du pied chaque rameau avant de s'y poser. Mais lorsqu'il entendit en dessous de lui un « Holà, toi ! Viens un peu par ici ! », il ne tâta plus rien du tout. Dans sa hâte à remonter d'où il venait, il enfourcha des charmilles plus fragiles et, cette fois, dégringola pour de bon. Avec cette rage que les corps mettent à chuter lorsqu'ils sont dans le vide.

Dix coudées plus bas, dans un tourbillon de feuilles et de branches cassées, Bouzouk rencontra les têtes de deux soldards, qu'il assomma avant d'aller rouler sur le gazon. Tout aurait pu s'arrêter là si les soldards s'étaient promenés par paire. Hélas, ceux-là étaient une escouade, qui pointa sur Bouzouk dix piques effilées.

– Par Ddrôg ! Mais c'est notre bêle-romance, tonna une voix que Bouzouk reconnut. Pris la main dans le sac ! À tournicoter autour des dames, comme tous les paons de ta sorte !

Penché sur le jeune homme, le capitaine Bougne-Sec avait sur les lèvres un sourire ravi. Il se fit un plaisir d'assommer lui-même Bouzouk, d'un féroce coup de poing sur la tempe. Le destin de ce roupoil allait être vite réglé ! Cornagoutre ! l'heure de la vengeance était exquise !

CHAPITRE 11

LES CACHOTS DU KRON ÉTAIENT CONNUS DANS LE PAYS pour être les pires qui fussent, empestant l'eau croupie et la fiente de rat. Au moins avaient-ils des soupiraux qui laissaient passer de vagues lueurs. Au moins y dormait-on sur de la paille, même humide. Mais que dire du cul-de-basse-fosse où Bouzouk avait été jeté ? Il baignait dans une boue visqueuse, qui puait la charogne et l'ordure. Pas une once de lumière, pas un souffle d'air. Un silence mortel. À peine le léger cliquetis de ses chaînes, quand il remuait un peu.

De quoi méditer paisiblement sur son avenir.

Jamais carrière de trouvamour n'avait été plus courte. Pourquoi s'était-il mêlé de ce qui ne le regardait pas ? Les princesses étaient généralement des oiselles geignardes et insupportables. Pourquoi avoir protégé celle-là, qui devait ressembler à toutes les autres ? Est-ce le changement de lune qui lui tourneboulait l'esprit ?

Qu'y avait-il gagné ? La haine du Kron, sans nul doute, et celle de Zzar. Sans oublier qu'il avait compromis la princesse aux yeux de son ombrageux fiancé. Triste fiasco.

S'il avait pu, il se serait giflé à tour de bras. Mais ses poignets étaient rivés au mur, et cerclés de ferraille.

Depuis quand était-il dans ce trou ? Impossible à dire. Le temps n'avait plus de sens. L'obscurité emplissait son corps de glace, le rendait inerte, flasque. Cela d'autant plus que ses pieds étaient pris dans un étau de plomb. On avait remplacé ses bottes par des galoches de cuir, qui compressaient chacun de ses orteils. Sage précaution du geôlier. Depuis le lointain départ du Grand Gourougou, on se méfiait des mages, au palais du Kron. Et surtout des étrangers, qui pouvaient l'être. À l'heure où il aurait eu grand besoin d'user de magie, le Petit Gourougou avait les orteils garrottés comme une brassée de bravottes.

Le vantail du cachot s'ouvrit à la volée et quelqu'un brailla :

– Debout, fruquon !

On lui ôta ses chaînes. Puis une main agrippa ses cheveux et le tira dehors. Une main de geôlier, ni amie, ni ennemie, simplement brutale. L'homme, un mastard, envoya son prisonnier dinguer dans une flaque d'eau sale. Il riait.

– Mouille-toi le groin ! Et le reste ! Tu pues pis qu'une fiente de skonj ! Sais-tu qu'on t'attend, là-haut ?

Bouzouk se releva, les chausses dégoulinantes, un goût d'ordure dans la bouche. Qui donc l'attendait ? Un bourreau, qui l'étranglerait ? Zzar, pour lui trouer la panse ? Le mastard lui lia les mains derrière le dos et le poussa vers une porte. Débouchant dans une petite salle éclairée d'un puits de lumière, le captif cligna les yeux, gêné par la clarté subite. Derrière lui, la porte se referma lourdement.

– Approche, approche donc.

Ils étaient deux, en face de lui. Un que Bouzouk reconnut et l'autre, qu'il n'avait jamais vu. Tous deux vêtus de blanc. Ils se tenaient par le bras.

– Qu'est-ce que tu en penses, Taille-Couenne ? dit Mascaron.

Le second penchait la tête sur l'épaule, plissant un œil. Il jaugeait.

– Il m'a l'air bien.

– Comment ça, *bien* ? Cet oiselet est mignard comme personne ! As-tu jamais vu un menton si rondelet ?

Le perruquier s'était approché de Bouzouk et joignait le geste à la parole.

– Et les oreilles ! Tâte-moi ces petits lobes ourlés à merveille… Le front est bombé, les lèvres bien pleines. Belle tignasse, aussi, d'un rouge rare.

– Fais-moi voir ses dents.

– Ouvre ta bouche, mon garçon. Taille-Couenne voulait être dentiste, hélas, il n'est que chirurgien !

Bouzouk obéit puis, lorsque Mascaron se mit à lui titiller les canines, fit claquer sa mâchoire. L'autre manqua s'évanouir, les doigts poinçonnés.

– Du calme, rouquin, ou je te cisaillerai la tête lentement, avec un bistouri à lame fourbe ! rugit Taille-Couenne.

– Taille-moi en dés si tu veux, mais que ce vieux crapion cesse de me tripoter, ventrefiotte !

Le perruquier s'était accroché au bras du chirurgien, l'œil brillant, excité comme grelon sur meringue.

– Quel caractère ! J'en tirerai au moins dix mille ducons ! Les gens en ont assez des faces mollassonnes !

– Je vais lui trancher le col avant midi, annonça Taille-Couenne. La chose d'ordinaire me met en appétit.

Décidément, on en voulait à son crâne. Quand ce n'était pas M'mandragore qui lui sifflait la mémoire, c'était Malebasse, le mage du glacier de Mange-Morts, qui voulait le trépaner ! À présent, il allait finir comme tête de rechange dans l'armoire du perruquier Mascaron. Il payait cher sa galanterie auprès des dames !

– Je n'ai pas même effleuré la princesse ! murmura-t-il. Encore moins souillé l'honneur d'un père ou d'un fiancé !

Mascaron leva les yeux au ciel.

– Qui te parle de ça, chérubin ? Le Kron et son futur gendre ignorent tout de l'affaire. J'ai fait simple commerce avec Bougne-Sec, qui coffre les gredards et connaît mes besoins.

Curieusement, Bouzouk fut soulagé. Quoi qu'il pensât des princesses, celle-là lui était sympathique. Elle resterait en dehors du coup. Tant pis si elle n'entendait plus jamais parler de lui. Il tenta néanmoins autre chose :

– Bugle-d'Or va me chercher, demain matin. On a besoin de moi pour la noce.

Gros éclat de rire des deux hommes.

– Cet angelot est impayable, couina Mascaron. Figure-toi que les noces ont lieu dans une heure, mon mignon, et qu'on t'a trouvé un remplaçant depuis belle lurette !

Cela faisait donc un jour entier que Bouzouk croupissait au fond de son trou empuanti ! Tout un long jour, bigreperpète ! Il vint au jeune homme un violent tournis, et la sensation qu'il ne comptait plus pour personne. Sauf pour ces deux grondins qui faisaient trafic de chair humaine.

– Geôlier ! hurla Taille-Couenne. Mène ce freu dans mon cabinet !

La porte claqua contre le mur et le mastard parut, mit le prisonnier sur ses épaules. Brinquebalé, la tête heurtant parfois les parois, Bouzouk sut qu'il faisait là son dernier voyage. Une image, une seule, trottait dans son crâne.

Celle de la main parfumée de la princesse se posant sur son bras et sa question : « Est-ce vrai que tu as aimé mille femmes ? »

CHAPITRE 12

BOUZOUK GISAIT MAINTENANT SUR UNE PAILLASSE DE crins, aussi ficelé qu'un rôti de dindaille. Il attendait son bourreau, le regard fixé sur ses pieds engoncés de cuir. Ses pieds désormais inutiles ! Combien de fois ces fichus orteils s'étaient-ils trouvés dans l'impossibilité de remuer un ongle ? À croire qu'ils le faisaient exprès ! Pourquoi le Grand Gourougou ne lui avait-il pas enseigné à lever les sourcils pour user de magie ? Ou remuer sept fois la langue ? Ou...

Il cessa net ses jérémiades. Le Grand Gourougou ! Comment avait-il pu l'oublier ? Le mage ne lui avait-il pas dit qu'un seul mot suffirait à le faire venir ? Et voilà que l'horrible Taille-Couenne entrait dans le cabinet ! Voilà qu'il saisissait un bistouri et l'aiguisait sur une sangle de cuir ! Voilà qu'il s'approchait du prisonnier, sourire aux lèvres !

– Grand Gourougou ! hurla Bouzouk. Sauve-moi !

– Cesse de glapir comme un babugle, fils ! Tu me casses les oreilles et c'est inutile.

Le bistouri siffla plusieurs fois. Bouzouk, qui avait détourné la tête, terrorisé, sentit les liens se relâcher.

Au-dessus de lui, le dos voûté à cause du plafond, qu'il touchait, le Grand Gourougou le contemplait d'un regard bienveillant. Bouzouk faillit en pleurer de joie. Ils s'étreignirent avec émotion.

– Il était temps, dit sobrement Bouzouk.

Puis, avisant le cabinet vide :

– Où est Taille-Couenne ?

– Tu l'as devant toi.

Le chirurgien se matérialisa sous les yeux du jeune homme. C'était impressionnant. Bouzouk siffla entre ses dents.

– Si cela ne te fait rien, je garderai cette apparence, ricana le mage. Taille-Couenne est un ignoble, mais je passerai mieux les portes ainsi.

– J'espère ne pas t'avoir réveillé en plein groupillon, Gourougou.

Le mage éclata de rire.

– Groupiller, moi ? Alors que tu frises à chaque instant la mort ? Mais voilà des lunes que je veille sur toi, fils ! Et pour être aux premières loges, je me transforme en buisson, moniale, Bblette, trouvamour, gargouille, chirurgien ! N'importe quoi, pourvu que je sois à tes côtés.

Bouzouk sentit bouillonner en lui une sainte colère. Ainsi, depuis des lustres, il n'était qu'un marmotin sous tutelle ! Ventrecaillette, la nouvelle l'estomaquait !

– Je t'interdis bien de continuer ! tonna-t-il. J'entends agir comme bon me semble ! Y compris mourir sous la lame d'un Taille-Couenne si j'en ai envie !

– Tu m'as appelé, pourtant !

– Grossière erreur. Je n'ai que faire d'une nounou de cinq siècles qui joue les pots-à-glu. J'ai déjà un protecteur en la personne de Zout, fils de Gozar !

– Mais ton Zout est incapable de veiller sur toi ! C'est un moulâchecouard, un foirotteux, un...

– Pas un garde-chiourme, en tout cas !

– Jamais je ne suis intervenu jusqu'à aujourd'hui.

– Ce sera la dernière fois.

– Ton orgueil est incommensurable, Morte-Paye.

– Comme ta soif d'omnipotence, Gourougou !

Les deux hommes se turent, à court de fiel. Puis, s'étant jeté à la face ce qu'ils avaient sur le cœur, ils tombèrent de nouveau dans les bras l'un de l'autre.

– Sais-tu que tu embellis mes vieux jours, fiston ? pleurnicha le mage.

Revenir dans les lieux qu'il avait tant connus autrefois le rendait nostalgique. Cette aventure était pain bénit pour un retraité de son espèce.

Il promit cependant de ne plus jouer les chaperons, si Bouzouk s'engageait à l'appeler en cas de besoin. L'autre opina et le Grand Gourougou, toujours sous l'apparence de Taille-Couenne, disparut dans les couloirs du palais. Il laissait un Bouzouk sain et sauf, plein d'allant. Du bon travail.

Il fallait vider les lieux, cependant. Le vrai Taille-Couenne pouvait surgir d'une minute à l'autre. Inutile de rameuter le palais.

Naturellement, Bouzouk pensait à la princesse. L'imaginer un seul instant entre les bras de Zzar le dégoûtait. Avant tout, il se devait d'empêcher ce mariage forcé. Et par n'importe quel moyen, dût-il en appeler à Zout le Bouffon !

Les cloches de la chapelle sonnèrent joyeusement. On annonçait les épousailles. Elles étaient même imminentes, à entendre les clameurs qui ronflaient dehors.

Dégringolant un escalier, Bouzouk parvint dans la cour du palais, et se mit à courir vers les appartements de la princesse. Plût à Kabok qu'elle fût encore là !

Il fendait la foule sans que personne lui prêtât attention. Toutes les têtes étaient levées vers le donjon. On bramait des « Ah ! », des « Que Gozar lui pardonne ! ». Certains étaient à genoux, en prière. D'autres pleuraient. Intrigué, Bouzouk regarda au sommet de la tour.

Alors il la vit.

Elle était tout là-haut, juchée sur un créneau, à deux pas du vide. Comme le vent tourbillonnait dans les hauteurs, il vit son corps qui oscillait terriblement.

– Ne bouge pas, princesse ! hurla-t-il. Je viens te chercher !

Et il s'engouffra dans le donjon, bousculant quelques soldards médusés. Sans doute ne l'avait-elle pas entendu. Sans doute son corps avait-il déjà basculé, et chutait-il vertigineusement. Mais Bouzouk ne voyait plus rien, n'entendait plus rien. Il grimpait quatre à quatre, et même six à six l'escalier du donjon, le cœur au grand galop.

CHAPITRE 13

LORSQU'IL DÉBOUCHA SUR LA PLATE-FORME – GOZAR EN soit remercié ! – elle était toujours là, à vaciller, face au vide. Il la voyait de dos, si menue, si fragile dans sa robe de lin blanc. Il appela tout doucement :

– Princesse ! Je suis Bouzouk, le trouvamour. T'en souviens-tu ?

Elle ne parut pas entendre. Ses voiles claquaient dans le vent furieux.

– Je viens répondre à ta question, poursuivit-il. Voilà : je n'ai jamais aimé de femme. Hormis ma mère et une jeune fille nommée Miloska, mais c'était l'espace d'une danse, il y a bien longtemps.

Tandis qu'il parlait, il s'approchait, les bras tendus pour la saisir. C'est alors qu'elle se retourna vers lui, lentement, et qu'il put enfin voir son visage. Ce fut lui qui se mit à chanceler sur les mollets, foudroyé. Les mains toujours ouvertes.

– Veux-tu que nous dansions encore, Martial ? dit la princesse.

Elle tomba dans ses bras comme une feuille poussée par le vent. Mais elle tomba avec fougue, avec bonheur.

Ils dansèrent.

Dans les gifles du vent, les cris des corbaillons, au milieu des créneaux, Bouzouk et Miloska dansaient. Malgré les galoches de cuir enserrant les pieds du jeune homme ; malgré la longue robe blanche qui empêtrait les jambes de la princesse. Ils se regardaient, étonnés de se reconnaître si fort et si bien après tant d'années. Bouzouk trouva Miloska belle à mourir, et Miloska songeait que Bouzouk pourrait lui plaire.

– Je ne t'ai jamais oublié, murmura-t-elle.

– Moi non plus, dit Bouzouk – et là, il mentait un peu, comme l'on sait.

– J'allais sauter. Plutôt mourir que d'épouser Zzar !

– Quelle idée ! Légère comme tu es, le vent t'aurait menée jusqu'au pays d'Orgon, comme un duvet de cygne !

– Tu sais… commença la princesse.

Elle n'acheva pas. La bouche de l'escalier venait de cracher une troupe de guerrillards, entourant le Prinz Zzar lui-même. Un Zzar livide dans ses habits sombres. Son œil luisait d'un éclat de folie.

– L'archivêpre attend pour nous marier, ma douce, ainsi que le Kron ton père et une horde de courtisards. Sais-tu que la plaine et les monts alentour sont garnis de glébeux, de zoliers, de freux qui scandent nos deux noms ?

Il avançait vers les deux jeunes gens, sans paraître voir Bouzouk, qui tenait pourtant Miloska par la taille.

– Les Kronouailles nous fêtent, comme nous fêtera Terre-Noire, ton futur royaume, où nous irons après les noces. Viens-tu ?

Il tendait sa main vers Miloska, dont les yeux flamboyaient de colère et de mépris.

– Viens-tu ? répéta Zzar d'une voix plus forte où claquait la menace.

Ses guerrillards avaient entouré le couple et dardaient leurs piques. Bouzouk cherchait vainement une issue, lorsque Zzar lui posa amicalement la main sur l'épaule.

– Voilà deux fois que tu me viens en aide, ami. Tu mérites récompense. Je te verrai après la cérémonie.

La princesse accusa le coup. Elle jeta sur Bouzouk un regard stupéfait et, de dépit, donna sa main à Zzar.

– Allons donc nous marier, Prinz, puisque Gozar le veut.

– Et Ggrok, ma chère ! Ce sont les dieux qui veulent nos épousailles.

Il prit la main de Miloska et tous deux s'enfoncèrent dans l'escalier, talonnés par les guerrillards. Bouzouk resta seul, bouche bée. Terrassé par la saynète à laquelle il venait, malgré lui, de participer.

Les princesses étaient promptes à changer d'avis, bigrecoq ! et les Prinz moins stupides qu'ils n'y paraissaient. Zzar avait fort bien joué sa partie et, d'une pichenette, s'était débarrassé d'un rival. Bouzouk n'était plus désormais qu'un faux-jeton parmi d'autres. Autant dire qu'il n'avait plus la moindre chance avec Miloska.

Il s'accouda aux créneaux, jeta vers le bas un regard embué de larmes. Zzar et la princesse venaient d'apparaître parmi les hourras de la foule, qui s'écarta pour les laisser passer. Du donjon à la chapelle, il n'y avait que quelques coudées, vite franchies. Le couple y pénétra, suivi des guerrillards. Les jeux étaient faits. Bouzouk regarda les galoches de cuir dur qu'il n'avait pas eu le temps d'ôter. Bah ! Il pouvait les garder ! À quoi lui servirait-il de remuer l'orteil, maintenant ? Même la magie ne peut retourner un cœur de femme ! Celui de Miloska lui était désormais interdit.

– Par Amadou bêlant ! vociféra quelqu'un derrière lui. Vas-tu rester à pourracher ici tandis que ta belle en épouse un autre, rouquin !

Gorge-Vermeille surgit à ses côtés, haletante encore d'avoir gravi les marches. Elle se mit à secouer par les épaules un Bouzouk ébaubi par son apparition.

– J'ai entendu ta voix qui l'appelait, je t'ai vu grimper à la tour comme un furieux. Maintenant je vois ta mine défaite ! Tu l'aimes, Bouzouk ! Ne te résigne pas ! Entends-tu ?

Sans attendre de réponse, elle entraîna le jeune homme dans l'escalier, qu'ils descendirent en un clin d'œil. Ce ne fut qu'en entrant dans la chapelle, après avoir bousculé ceux qui l'en empêchaient, que Bouzouk comprit enfin qu'il aimait Miloska d'amour.

Comme il n'avait jamais aimé et comme il n'aimerait jamais plus.

D'abord il ne vit rien, car la foule était serrée, presque compacte. Gorge-Vermeille se mit à jouer des coudes et à distribuer des gifles. Ils remontèrent ainsi la travée centrale, pour déboucher au premier rang, où le Kron se tenait, avec les courtisards. Le couple était agenouillé devant l'autel. Face à eux, bras levés jaillissant de son manteau pourpre, l'archivêpre chantait le chant des noces.

Au tumulte qui accueillit l'arrivée des deux trouvamours, le Prinz se retourna, vit ce qui se passait. Il bondit sur ses pieds, tandis qu'un cercle sombre se formait autour de lui. Dix guerrillards qui surgirent des colonnes, de l'autel, des drapés tapissant les murs, de partout. Tous bardés de fer, tous braquant leur pique ! La foule reflua dehors en geignant, le Kron s'évanouit, comme nombre de courtisards.

Le champ était libre pour une bataille rangée.

Gorge-Vermeille et Bouzouk ne doutaient pas de balayer l'adversaire. L'une allait vomir des gerbes de feu, l'autre rosser d'importance, lorsque Zzar sortit une dague et la posa sur le cou de la princesse.

– Au large, rouquin ! Ou je saigne l'oiselle. Je préfère la savoir morte qu'entre tes mains de gredard !

Bouzouk se figea, l'œil rivé à la lame d'acier barrant la peau de Miloska. Gorge-Vermeille laissa pendre ses gourdes au bout de ses grands bras. Alors, lentement, Zzar et ses guerrillards sortirent de la chapelle, emportant la princesse, qui souriait à Bouzouk.

La porte se referma avec un bruit d'apocalypse.

Pour la troisième fois, Bouzouk venait de perdre sa Miloska.

Deuxième partie
Terre-Noire

Chapitre 1

Le palais du Kron avait été jadis un foirail joyeux. On y festoyait des jours entiers, on dansait, on pinçait du gluth. Les courtisards n'y étaient pas plus frivoles qu'ailleurs, les soldards pas moins féroces.

Un soir gris d'hiver, lors d'une promenade, la Krone se noya dans le Zyxx. On ne repêcha jamais son corps. Ce fut comme si une main glacée avait empoigné le palais et ses habitants. Le Kron, qui adorait sa femme, tomba dans un de ces chagrins fous qui embrument l'esprit et amollissent le corps. Depuis, il passait son temps à dormir, ainsi qu'on l'a vu – et à machiner des plans secrets.

Le palais devint ce lieu sinistre, sans rire, sans musique, aux couloirs sombres arpentés par quelques soldards. On n'y entendait que les cris des corbaillons hantant les créneaux.

C'est dire si les noces et leurs promesses de ripailles avaient été attendues par la cour. C'est dire si les récents événements firent du palais un lieu plus lugubre, plus gémissant encore qu'auparavant.

Tout le monde était sur le flanc. À commencer par le Kron, qui émergeait tout juste de son évanouissement, parmi ses courtisards. Il promena longuement de gros yeux hagards autour de lui, puis la mémoire lui revint. Ces deux trouvamours, qu'il voyait près de l'autel, venaient tout bonnement de faire rater un mariage et de provoquer l'enlèvement de sa fille. Sans compter l'absence injustifiée de l'un, qui avait contraint le chambellan Bugle-d'Or à engager l'autre, contre force picaille, pour égayer la fête. Bref, le Kron avait quelques méchants griefs contre Bouzouk et Gorge-Vermeille.

Dans un premier temps, il ordonna à ses soldards de les massacrer. Mais, ayant enfin délacé ses galoches de cuir, Bouzouk hurla qu'il était le Petit Gourougou et menaça de remuer l'orteil. À ces mots, le Kron renonça à l'attaque. D'autant plus que soldards, archivêpre et courtisards, terrorisés, s'égaillèrent en tous sens en braillant : « Un mage ! Il nous est revenu un mage ! »

Le souvenir du Grand Gourougou semblait encore vivace au palais.

Le Kron se retrouva donc seul dans la chapelle dévastée, en face d'une géante et d'un mage. Il entama sur-le-champ des pourparlers, car il était raisonnablement lâche. Bouzouk n'avait rien à négocier, seulement des questions à poser. Sur la princesse, sur son mariage avec le Prinz, sur cette fameuse Terre-Noire où Zzar l'avait emmenée. Ce qu'il apprit l'intéressa fort.

En réalité, Miloska était la fille adoptive du Kron. Après la mort de sa femme, croyant tromper son chagrin et son ennui, le Kron avait cherché de quoi réjouir ses vieux jours. Point de femme, car il était un veuf inconsolable ; mais un enfant, puisqu'il n'en avait jamais eu. Il choisit d'adopter une fille, car les garçons l'indisposaient, belliqueux et criards qu'ils étaient. Quoi de plus divertissant qu'une douce jeune fille, qui lui jouerait du gluth pour l'endormir ou lui broderait des tapisseries ? Plus tard, mariée, elle lui donnerait un petit-fils, dont il ferait l'héritier du royaume, le nouveau Kron.

On chercha donc quelqu'un et ce fut Miloska, princesse d'Assussie, dont les parents avaient péri au cours d'une révolte de glébeux, quelques années plus tôt. Et, si les freux avaient été finalement matés, Miloska ne s'était jamais remise de ces sombres événements. Malmenée par un régent haineux et des courtisards jaloux, la pauvrette vivait un enfer. Elle avait accepté l'offre du Kron. Voilà deux lunes qu'elle vivait au palais. Une bien médiocre affaire, soupirait le Kron, car elle n'aimait ni le gluth, ni la tapisserie. Selon lui, elle passait son temps à jouer à la zonzotte avec ses dames de compagnie, ou lisait des romans d'amour. Pas de quoi distraire son père adoptif.

Le Kron en parlait comme d'une bouche inutile à nourrir. Aussi, lorsque le Prinz Zzar, venu en visite le mois dernier, était tombé amoureux de la jeune fille, s'empressa-t-on de conclure mariage. Certes, Miloska n'était pas enthousiaste, mais l'amour ne s'accroît-il pas avec le temps qui passe ? Les noces célébrées, les deux époux auraient pris la route de Terre-Noire, et coulé là-bas des jours heureux.

Voilà pour la princesse.

Aux questions de Bouzouk sur Terre-Noire, le Kron resta évasif. On disait qu'il y faisait une nuit sans fin, qu'il y régnait un froid de glace. On disait qu'il n'y poussait rien d'autre que des fourmilles sombres, ou des fleurs de givre. On disait. Car nul étranger n'y avait pénétré, hormis quelques frouilles qu'on n'avait jamais revues.

– Et c'est dans ce désert de mort, grondin, que tu voulais envoyer ta fille ?

– Adoptive, gentil mage, seulement adoptive. Mais sache que je l'aurais visitée là-bas, de temps à autre.

Sur ce, harassé d'émotions, le Kron s'en alla rejoindre sa troupe de coussins. Bouzouk le regarda cahoter dans la cour du palais, titubant comme s'il venait de siffler dix pintes de kohol. Ce Kron-là n'avait décidément pas les épaules d'un Kron.

Ni Bouzouk le cœur résigné d'un amant dépouillé ! Là où allait sa princesse, il irait, par Zout ! Il le dit à Gorge-Vermeille, d'une voix ferme. Il partirait en Terre-Noire.

– Je te suis, rouquin. J'aime les histoires d'amour et aussi qu'elles se terminent bien. Je t'aiderai.

Une offre pareille ne se refuse pas. En particulier lorsqu'elle pèse deux cents livres et crache des flammes dignes des marmites de Mmolloche. Bouzouk songea seulement que Bel-Essaim allait peut-être entrer dans une longue, longue bouderie. Ou faire une grosse, grosse colère. Non sans raison, d'ailleurs. Il commençait à y avoir beaucoup de femmes autour de Bouzouk.

Chapitre 2

LES VRAIS AMIS ONT CECI DE MAGIQUE QU'ILS SONT toujours conformes à eux-mêmes, quelles que soient les circonstances. Tels étaient les amis de Bouzouk. Lorsqu'il franchit le portail, ils étaient en rang d'oignons. Simplement à l'attendre. Ils lancèrent des hourras et se mirent à sautiller partout. Ganachon poussa la chansonnette, Mille-Mots déclama un poème. Bel-Essaim, larme à l'œil, faisant remarquer à Bouzouk qu'il était suivi par une grenuche du genre colle-au-derche. Sagement, Gorge-Vermeille ignora l'attaque.

– As-tu fait honneur à ton titre de champion ? s'enquit Mille-Mots. L'oiselle est épousée ? Le mari et le père contents ?

Devant la mine basse de Bouzouk, le scribrouillon se tut, soudain inquiet. Puis :

– Est-il arrivé quelque chose ?

Personne ne savait, ici. Pas même les rares gardes du portail. Le capitaine Bougne-Sec et la moitié de la garnison avaient disparu depuis la veille. Les soldards attendaient la relève, qui ne venait pas.

Ils auraient pu attendre jusqu'à la Saint-Glinglin. Pour des raisons inconnues, Bougne-Sec et ses hommes s'étaient enfuis avec le Prinz. Les fuyards avaient quitté le palais par l'ouest, traversant le Zyxx dans de larges barquerolles, avant de partir vers Terre-Noire.

En quelques mots, Bouzouk mit tout le monde au courant de la situation. Les derniers sourires s'évanouirent.

– Tout ce travail pour rien ! soupira Mille-Mots.

– Mais ton grimoire, cavalier ? grogna Ganachon. Tu as bien une piste, quelque chose…

– Rien, mon ami. Pas le moindre perruquier aux dents de rat.

– Le freu doit se cacher dans un trou, à attendre qu'on le déniche.

– On le cherchera plus tard, dit Bouzouk. Pour l'heure, j'ai d'autres projets.

Il parla de sa rencontre avec Miloska. Du bel hasard qui les avait mis de nouveau face à face, après tant d'années. Il parla de son amour pour elle. Il le fit brièvement, avec des mots sobres, afin de ne pas blesser la pauvre Bel-Essaim.

Peine perdue. Les yeux de la Bougresse coulèrent comme deux sources tièdes. Elle maudit trois fois Kabok, la déesse de l'amour. Puis, ainsi qu'à l'accoutumée, elle pardonna à son mignard. Elle partit faire quelques pas, histoire de noyer l'herbe sous ses pleurs. Émue, Gorge-Vermeille la suivit. Les histoires d'amour la bouleversaient. Surtout les histoires tristes.

Tandis qu'elle consolait Bel-Essaim, les trois autres vinrent féliciter Bouzouk. Son amour leur réchauffait le cœur.

– Emmène-nous, dit Bouffe-Bœuf. Sans toi, la vie est plate comme une galette de blute.

Ce qui fit sourire Bouzouk. Et pareille occasion était rare, par ces temps chagrins.

Ils partirent donc ensemble, y compris Bel-Essaim, qui avait longuement hésité. Mais le plaisir de côtoyer encore et encore son mignard l'emporta.

Tous les cinq chevauchaient Ganachon, lequel avait accepté sans rechigner les deux cents livres supplémentaires de Gorge-Vermeille. Elle s'était jointe au groupe et personne n'y trouvait à redire. Encore moins Bouffe-Bœuf, qui la lorgnait du coin de l'œil et la serrait de près.

Ils parvinrent au Zyxx, qu'ils longèrent jusqu'à trouver un gué. Puis ils se dirigèrent vers l'ouest. Si Terre-Noire n'apparaissait sur aucune carte, il était connu que ce maudit pays se trouvait à l'ouest, toujours plus à l'ouest. Les six compagnons s'enfoncèrent dans un paysage monotone, aplati comme l'horizon. Aux gens qui leur demandaient où ils allaient, Bouzouk répondait : « À l'ouest. » Alors les yeux s'arrondissaient, comme les bouches. Personne n'allait jamais à l'ouest. L'ouest était le pays de la nuit, disaient-ils. Certains murmuraient : « Le pays de la mort. »

Ainsi quatre jours et cinq nuits passèrent. Le décor, déjà si pauvre, fondait à vue d'œil. Plus d'arbres, ni de buissons. Bientôt plus d'herbe. Le sol devint poussière et rocailles. Ils allaient sans croiser âme vivante, sinon quelques gnours planant dans le ciel gris. Ils ne rencontrèrent ni les ermites qu'on trouve dans les déserts de pierres, ni de colporteurs qui, d'ordinaire, sont partout.

La cinquième nuit fut d'une noirceur désespérante. Nuit sans lune aucune, nuit silencieuse. Il leur sembla qu'elle s'éternisait. De sorte qu'ils se mirent en marche à l'aveuglette, se fiant au pas du cheval. L'aube finirait bien par poindre, songèrent-ils.

Tel ne fut pas le cas. La nuit n'était pas une nuit, mais quelque chose comme le début de l'éternité. Ils n'étaient pas encore en Terre-Noire, mais ils avaient passé une frontière entre deux mondes. L'air se fit de plus en plus poisseux, le silence de plus en plus lourd. Ils avaient du mal à respirer.

– Fais-nous de la lumière, dit Bouzouk à Gorge-Vermeille.

La flamme qu'elle cracha n'illumina que le sombre vide. Autour d'eux, il n'y avait rien. Ni dessus, ni dessous. Ils flottaient au beau milieu du néant.

– Sur quoi trottes-tu donc, Ganachon ? s'inquiéta Bouzouk.

Ganachon se tut pour ménager son effet, puis lâcha :

– Je marche sur le dessous des sabots du vrai Ganachon.

Comme personne ne sembla comprendre ses paroles, Ganachon demanda à Gorge-Vermeille de les éclairer une nouvelle fois.

– Regardez-vous donc, dit-il. Regardez-moi.

Ils virent qu'ils étaient cinq ombres montées sur le dos d'une ombre de cheval. Eux non plus n'avaient plus aucune consistance.

Ils étaient devenus l'ombre d'eux-mêmes.

Bouzouk, Ganachon, Mille-Mots, Bouffe-Bœuf, Bel-Essaim et Gorge-Vermeille, ceux faits de chair et de sang, trottaient sous eux, la tête en bas.

CHAPITRE 3

ILS AURAIENT PU FAIRE DEMI-TOUR ET FUIR CE PAYS OÙ l'endroit était l'envers. Mais pas ces six-là. Pas cinq fous d'aventures chevauchant un Ganachon. Ils poursuivirent leur route comme si de rien n'était et leur destin s'accomplit.

Chacun se sentit devenir plus inconsistant encore. Jusqu'à en devenir volatil. Chacun fut aspiré par un gouffre béant, qui exhalait un souffle froid. Puis, subitement, leurs corps se recomposèrent.

Ils étaient de nouveau visibles. Ils avaient traversé la frontière entre ombre et lumière. Par quel prodige ? seuls Ggrok ou Gozar le savaient.

– C'est incroyable, murmura Bouzouk.

– Crois-le, dit Ganachon. Ces choses-là rendent fous les incrédules.

Ils allaient à présent dans un paysage de givre et de glace où le ciel se confondait avec le sol. Y avait-il un ciel et un sol, à vrai dire ? Là où tout avait été noir, le blanc régnait. Un blanc lumineux, un blanc vertigineux.

– Qui parlait, tout à l'heure ? demanda Mille-Mots. Nos ombres ou nous-mêmes ? Et maintenant, qui sommes-nous ? Par Ô, le vertige me prend !

– Cesse de tortiller tes méninges, scribrouillon, grogna Bouzouk. Bigle plutôt ce qui nous vient là-bas.

De l'horizon accouraient des volutes blanchâtres, étincelantes, comme ciselées par un burin de graveur. En même temps que montait un grondement sourd, qui faisait trembler le sol laiteux.

– Le frizzar ! lâcha Ganachon d'une voix rauque. La pire des tempêtes de givre ! Qu'il nous atteigne et nous gèlerons sur pied. Puis, comme l'ombre du cristal, nous éclaterons à la moindre brise.

Mille-Mots hurla qu'il voulait vivre cent ans de plus et Bouffe-Bœuf maudit Terre-Noire, le Prinz Zzar et son cortège de freux. Quant à Bouzouk, ayant agité vainement chacun de ses orteils, il découvrit avec stupeur que sa magie de Petit Gourougou ne valait rien de ce côté-ci du monde.

Le frizzar se rua vers eux dans un terrible mugissement. Il semblait chevaucher mille cavales, tant le sol s'agita de soubresauts violents. Ganachon lui-même vacillait sur ses sabots. Il se coucha et fit de son corps un rempart à ses compagnons. Bel-Essaim pleurait.

Gorge-Vermeille ne disait rien. Et pour cause : elle venait d'avaler coup sur coup le contenu de deux gourdes et, les joues démesurément gonflées, elle s'avança vers le frizzar. Ses deux jambes plantées comme deux poteaux, la poitrine bombée. Lorsque l'horrible nuée ne fut plus qu'à une portée de flèche, elle alluma une mèche.

Tous avaient compris ce qu'elle tentait de faire. Même si la chose leur paraissait dérisoire.

Gorge-Vermeille cracha son torrent de flammes rouges. Elle cracha plus fort que le Krabousse, plus fort qu'une armée de dragons. L'horizon se mit à flamboyer de pourpre et de vert, comme si l'aube se levait soudain. Il y eut autour d'eux de folles lueurs, des gerbes d'étincelles. Tout crépitait, tout sifflait, claquait, bouillonnait. De la vapeur roulait en gros nuages ronds et lourds. Peu à peu le silence retomba, et le désert blanc scintilla de nouveau. Pacifié.

– Elle a réussi ! brailla Bouffe-Bœuf.

Si stupéfiant que cela pût être, Gorge-Vermeille avait repoussé le frizzar. Elle avait brûlé l'épouvantable masse de givre d'une seule et radicale expiration.

– Un miracle, balbutia Mille-Mots.

Tous firent fête à la géante, la comparant à un volcan, à un fleuve en furie. Bouzouk lui décerna le titre de trouvamour des trouvamours, tandis que Bouffe-Bœuf, plus amoureux que jamais, répétait : « Quel souffle, cornabouc ! Quel souffle ! »

La cracheuse de feu se contenta de hausser les épaules, en disant qu'il était tout naturel de vouloir protéger ses amis et qu'elle le referait, à l'occasion. Elle s'inquiétait davantage de savoir qu'il ne lui restait plus qu'une seule gourde de kohol. Ce qui était peu pour accomplir semblables exploits. Ganachon ajouta qu'à son avis, le frizzar n'était qu'un amuse-gueule, et qu'avant peu, ils auraient à subir d'autres épreuves.

– J'en frétille déjà d'impatience, ricana Bouffe-Bœuf, histoire d'impressionner Gorge-Vermeille.

Ils remontèrent tous sur Ganachon et poursuivirent leur route hasardeuse. Autour d'eux, il n'y avait rien qui ressemblât à un horizon. Rien qui pût leur donner le moindre signe sur la direction à suivre. Depuis la fin du frizzar, tout était redevenu immobile et silencieux. Les *cataclop-cataclop* de Ganachon, d'ordinaire si sonores, si musicaux, avaient disparu, mangés par la poussière crayeuse du sol.

Cheval et cavaliers se taisaient, pétrifiés par le froid et ce silence qui les pénétraient. Ils se sentaient peu à peu devenir de glace. Encore quelques lieues et ils se confondraient avec l'immensité blanche. Comme six sucres dans une tasse de lait d'ânesse.

Bouzouk n'avait même plus la force d'encourager ses amis. Sa tête dodelinait, il sentait dans sa poitrine son cœur battre plus lentement, s'engourdir peut-être. Il pensa à la princesse Miloska comme si c'était la dernière fois.

Puis l'horizon se déchira enfin, avec un énorme bruit de verre brisé. Une faille sombre apparut au lointain, béante, mouvante.

– C'est la bouche de Pprûut, le dieu des bourrasques, qui s'ouvre ! cria Ganachon. J'avais raison ! Le frizzar n'était qu'un hors-d'œuvre ! Pprûut a la dent dure !

Déjà la crinière du cheval flottait à l'horizontale, de même que les cheveux des cavaliers ; ceux de Bel-Essaim ondoyaient comme des oriflammes. Mais ce n'était rien, rien du tout. La bourrasque s'enfla brusquement, les désarçonnant d'un coup. Tous les cinq roulèrent à terre et se mirent à tournoyer comme des toupillottes.

Seul Ganachon resta debout, face à la bourrasque, ses quatre sabots fichés dans le sol. Il semblait avoir une grande expérience des choses extraordinaires et rien ne l'effrayait. Il souriait à Pprûut.

Là-haut, la bouche du dieu s'agrandit encore. Son souffle fit tanguer le sol, qui se mit à craquer. Qui se fissura, qui darda des langues blanches.

– Des vagues ! hurla Bel-Essaim. Il pousse des vagues de glace !

C'était vrai ! Le désert blanc et lisse avait disparu et à sa place une mer naissait, avec ses vagues battantes, son grondement furieux. Une mer dure comme le roc, qui cognait les os, raclait les têtes, martelait mains et pieds. Bouzouk et ses compagnons eurent la sensation qu'on les lapidait de mille galets pointus.

– Nous ne sommes que d'innocents voyageurs ! protesta Bouzouk, mais sa voix se perdit dans l'infernal mugissement du vent, dans le craquement des vagues.

Aux rires en rafale qui tintaient au-dessus d'eux, on sentait bien que Pprûut se régalait. Ainsi font les dieux lorsqu'ils jouent avec les hommes et s'amusent de leur effroi. Il était fort possible qu'il poussât plus loin encore la plaisanterie.

Ganachon ne l'ignorait pas. Malgré les tourbillons qui lui battaient les flancs, malgré les brusques risées de givre, il récupéra un à un ses cavaliers. Les installant sur sa croupe, il les y ficela, à demi évanouis. Puis il se laissa enfin entraîner par les flots de glace, dont l'écume lui arrachait le cuir.

Il se mit à songer à cette mort blanche qui les attendait tous. Il le fit sans amertume, comme le sage colosse qu'il était.

CHAPITRE 4

L'ARMÉE TERRIBLE DES VAGUES AURAIT DÛ BROYER LES SIX amis comme grains de blute sous le fléau. Mais il était écrit qu'ils ne mourraient pas encore. Pprûut se calma, sa bouche ne soufflant plus que de maigres bourrasques. Gozar les protégeait-il ? Ou Pprûut en avait-il assez de se vider les bronches ?

Toujours est-il que la mer se contenta de les charrier à vive allure, sans chercher à les engloutir. Le courant les porta vers une tache sombre à l'horizon, qui ressemblait à une île perdue. Le point grandit, jusqu'à devenir une silhouette hérissée de pics et de flèches. Bientôt les tourelles effilées d'un Krak se profilèrent sur le ciel clair. Elles étaient noires, d'un noir implacable et menaçant. Comme était noir le donjon, noirs les créneaux, noirs les étendards qui flottaient au vent, noire la grève au pied du Krak et les herbes qui y poussaient. Tout était noir, absolument tout.

Nul doute qu'ils accostaient en Terre-Noire.

De nouveau les sabots de Ganachon résonnèrent sur un sol de pierres. Il galopa jusqu'à un énorme rocher qui les masquait du Krak, et délia ses amis. Bouzouk s'ébroua le premier. D'abord étonné d'être en vie, il poussa un cri de triomphe en voyant la couleur du décor qui les cernait.

– Nous y sommes ! dit-il.

Ganachon ne fit aucun commentaire sur le rôle qu'il avait joué. Mais quand le jeune homme, l'espace d'une seconde, entoura son encolure de ses bras et y posa son front, il frissonna de joie.

– Plus tard, les effusions, grogna Mille-Mots. Nous avons un Krak à prendre et une princesse à enlever. Ventrepou ! comment allons-nous faire ?

La question était d'importance. Ils tinrent conseil à l'abri du gros rocher. On écarta l'assaut – trop risqué – l'attaque de nuit – puisqu'il n'y avait ici ni jour ni nuit – et la magie – inopérante. De même le creusement d'un tunnel jusqu'à l'intérieur du Krak. Trop long.

Le principal écueil était leur couleur, qui les rendait aussi visibles que des lampions de carnaval. Ils se souvenaient du Prinz Zzar et de son cortège, tous vêtus de noir.

Mille-Mots, qui avait été herboriste, avisa sur le sol une touffe d'herbe couleur d'ébène. Il en arracha un brin, le renifla longuement. Son visage s'éclaira.

– Je crois bien que nous avons ici de la ténébrelle, gloussa-t-il. J'en ai trouvé jadis, dans un petit foirail en pays d'Orgon. Très rare, mes amis. De retour au pays, je l'ai vendue mille fois le prix que je l'avais payée.

– Scribrouillon, pesta Bouzouk, ce n'est pas l'heure des vanteries !

Sans répondre, Mille-Mots ôta sa tunique.

– Ni celle du bain ! grogna Bel-Essaim.

Nu comme un ver, le vieil homme se mit à mâcher une herbe.

– Ni celle de la ripaille, ventrecrotte ! rugit Bouffe-Bœuf.

Puis nul ne pesta plus, ni ne grogna, ni ne rugit : le scribrouillon, toujours mastiquant son brin d'herbe, s'obscurcissait à vue d'œil. Comme s'il s'estompait peu à peu dans le sol de gravier noir. Ses compagnons, bouche bée, le virent ainsi disparaître. Ne restaient visibles que le blanc de ses yeux et celui de ses dents, car Mille-Mots souriait, plutôt content de lui. Il y avait de quoi. La démonstration était sans appel, et la solution trouvée. Avec cette herbe miraculeuse, ils tenaient là le plus sûr moyen d'arriver au Krak sans encombre. Ils se fondraient totalement avec le décor.

– Mes meilleurs clients furent voleurs, assassins, conspirateurs, dit le scribrouillon. Sans parler des maris volages, bien entendu. Ma cargaison de ténébrelle ne dura point, vous l'imaginez !

Personne n'écoutait plus Mille-Mots. Chacun s'était empressé de se garnir la bouche et mâchait copieusement.

– L'effet ne dure que peu de temps, précisa Mille-Mots. Quelques heures, tout au plus. Prenons soin d'en remplir nos chausses !

– Et lesquelles, vieillard ? marmonna Gorge-Vermeille. Puisque nous serons nus.

Bien vu. C'était là, insista Bouzouk, raison supplémentaire de hâter le mouvement. Ils furent bientôt aussi noirs que la terre qui les portait. Paupières et lèvres closes, ils étaient invisibles.

C'est ainsi qu'ils entrèrent dans le Krak du Prinz Zzar. Ils franchirent un portail flanqué par des gardes semblables à ceux qui entouraient Zzar au château du

Kron. Des guerrillards, vêtus d'armures sombres, portant de longues piques. Aucun ne broncha.

Les six compagnons pénétrèrent dans la cour du Krak, circulaire, pavée d'ébène. S'y bousculait et gesticulait tout un peuple de créatures habillées de noir, les unes fourrageant dans de grands braseros, les autres étrillant d'étranges cavales. On se croisait, on portait des cuves pleines de liquides visqueux. Certains poussaient d'énormes meules de pierre, ou traînaient des paniers remplis de caillasses couleur de nuit. Tous jacassaient, s'interpellaient avec fureur. Des nuages de suie grasse flottaient dans l'air, et des pans de brouillard épais comme poix.

C'était une cour de château bien ordinaire, même si ses habitants avaient curieuse allure. Gnomes, hommes, femmes, enfants, personne n'aurait su le dire. Bouzouk et ses compagnons traversèrent la cour sans qu'aucun d'eux interrompît son manège. S'engouffrant sous un grand porche voûté, seule issue visible, ils débouchèrent dans une immense galerie flanquée de part et d'autre de colonnes. Plantées dans des murs d'ardoises, quelques torchères faméliques y faisaient vaciller des lueurs pâles. C'était sinistre. Et surtout, aussi vide qu'une tête de freu.

Ils furent surpris par le silence qu'ils y trouvèrent. Dans cet univers d'une noirceur totale, ce silence avait un poids inhabituel. Comme lorsqu'on se penche au-dessus d'un puits et que le silence du vide paraît résonner aux oreilles, tant il est profond, menaçant.

– Je connais cet endroit, dit Mille-Mots. Je l'ai visité chaque fois que j'étais bourré de kohol jusqu'à la garde, et près de crevailler.

La voix du scribrouillon suait la peur. Les autres, impatients, attendaient la suite. Mille-Mots poursuivit, d'une voix tremblotante.

– Là-bas, il y a une porte aux lourds vantaux, que je n'ai jamais franchie, même aux pires moments. Mais je sais ce qu'elle dissimule. Je sais qui nous attend derrière ces battants.

– Dis-le donc, ventremort ! au lieu d'alambiquer ta langue ! vociféra Bouzouk.

– Les poètes ne nomment jamais ce qui les effraie ! dit Ganachon, avant de lâcher, dans un murmure : Mille-Mots nous parle de l'Empire des ombres molles, cavalier.

CHAPITRE 5

LES RÉVÉLATIONS DE MILLE-MOTS ET DE GANACHON avaient bouleversé leurs compagnons. Ainsi Terre-Noire faisait partie de l'Empire des ombres molles… En était-elle l'antichambre ? L'une de ses portes d'accès ? Nul ne savait. Les visions de Mille-Mots étaient trop floues, l'immense savoir de Ganachon n'allait pas jusque-là.

Seule certitude : la méfiance était de rigueur. Et même l'extrême méfiance. L'Empire des ombres molles était le territoire des morts. Y pénétrer par effraction n'était pas une mince affaire. Gozar, le dieu des dieux, le permettrait-il ? Et que ferait Ggrok, qui régnait sur les Marais-Puants, le Cloaque de l'Empire ? Il semblait l'allié de Zzar.

Derrière eux, soudain, il y eut des gémissements, et un fourmillement singulier. Ils virent surgir sous le porche une horde d'ombres, poussées par les guerrillards.

– Des ombres molles ! balbutia Mille-Mots, terrorisé.

Bouzouk dut le soutenir, car il vacillait sur ses vieilles jambes. Comme si le souvenir de ses beuveries le soûlait encore. Il le traîna derrière une colonne, avec les autres, pour observer la scène. Elle fut courte, mais terrible.

Les ombres molles avaient une apparence singulièrement humaine. Mais leurs traits étaient presque effacés, comme si on les avait gommés. Leur couleur grisâtre, entre brume et suie, achevait de les rendre fantomatiques. Elles étaient un troupeau que les guerrillards menaient, à coups de piques, ou de bottes. Elles glissaient lentement, mine basse, bras ballants. Étrange était leur plainte, lancinante comme le bourdon d'un orgue.

Au fond de la galerie, les deux vantaux s'ouvrirent et les ombres molles s'évanouirent. Le silence se fit, seulement troublé par le retour des guerrillards, qui riaient entre eux. Des rires rendus caverneux par leur casque dont la fente ne laissait voir que deux yeux rouges.

À leur tour ils disparurent.

Malgré les protestations de Mille-Mots, Bouzouk courut jusqu'aux vantaux, qu'il tenta d'ouvrir, naturellement en vain. Il y colla son oreille, mais aucun son ne filtrait, ni plainte ni cri. Il finit par y tambouriner comme à une vulgaire porte de bouge.

– Par Zout le Glauque ! jura-t-il. Où peuvent bien se trouver Zzar et sa meute de pouaques ?

– Tu montres l'impatience d'un écervelé, cavalier, dit Ganachon.

Ce à quoi Gorge-Vermeille ajouta :

– Aimer te rendrait-il aussi courgeon qu'un coq, Bouzouk ?

Et Bouffe-Bœuf de renchérir :

– Tu m'effraies, pistounet. Je t'ai connu plus…

– Paix, vous tous ! coupa le jeune homme. Je réfléchissais à voix haute, voilà tout.

C'est alors qu'à l'autre bout de la galerie surgit une cohue indescriptible, piailleuse, caquetante. Au petit peuple entrevu tout à l'heure dans la cour, qui gambadait comme des drillons, s'étaient jointes d'autres créatures, d'apparence difforme ou monstrueuse, et des guerrillards.

Les six compagnons se tapirent dans l'ombre des colonnes, l'œil fixé sur la troupe qui s'avançait. Bouzouk sentit son cœur cogner à toute volée. Au premier rang marchaient Zzar et la princesse Miloska. L'un et l'autre étaient vêtus de noir, l'un et l'autre marchaient d'un même pas. À leur passage, Bouzouk entendit la voix du Prinz, qui s'adressait à la jeune fille :

– Tu verras combien ton futur royaume est infini, mon amour.

Il la vit seulement de profil. Sa bouche souriait, ses paupières étaient mi-closes. Elle semblait être là de son plein gré, et heureuse. Bouzouk fut à deux doigts de bondir sur Zzar mais Bouffe-Bœuf le ceintura au dernier moment. Puis il tenta de calmer son ami qui tremblait de rage.

– Il l'a appelée « mon amour » ! « Mon amour », comme si… comme si…

Cela lui était insupportable. Bouffe-Bœuf dut lui plaquer sa grosse main sur la bouche pour l'empêcher de brailler. À la fin, il l'assomma d'un coup de poing. Il était temps, car, après que les deux vantaux se furent ouverts un court moment, sans doute pour permettre à la princesse de contempler son infini royaume, la troupe fit demi-tour. De nouveau elle passa devant les six amis recroquevillés derrière les colonnes. Personne ne les remarqua et le brouhaha s'évanouit peu à peu. Gorge-Vermeille et Ganachon, bondissant de colonne en colonne, suivirent à distance

Zzar et sa meute, histoire d'enquêter sur la topographie des lieux. Ces deux-là maniaient mieux leur cerveau que d'autres, songea Mille-Mots.

Quand ils revinrent, Bouffe-Bœuf berçait Bouzouk, toujours évanoui, et Bel-Essaim lui caressait les mains.

Les nouvelles glanées étaient bonnes. Une fois sorti dans la cour ronde, le cortège avait gagné un couloir masqué par un pan de brouillard ; nul vantail, ni garde, ni mot de passe. Il semblait facile de suivre le même chemin. Gorge-Vermeille réveilla Bouzouk de quelques gifles bien sonores. Le jeune homme demanda pardon à ses amis pour sa conduite stupide et l'incident fut clos.

Dehors, l'agitation était toujours la même et ils traversèrent la cour sans que nul s'en préoccupât. À l'entrée du couloir, le brouillard était pesant comme un rideau de plomb, mais Bouffe-Bœuf le souleva sans effort. Une large volée de marches menait à l'étage supérieur. Ici aussi, sol, murs, plafond, tout était noir et silencieux, éclairé par de rares torchères.

Ils montèrent à la queue leu leu, avec mille précautions. Ici, en Terre-Noire, même l'impossible était possible et il fallait s'y préparer. À l'étage, un vaste corridor, garni d'effroyables statues aux gueules béantes, débouchait sur la salle du trône, fourmillante de monde.

Poitrines sonnant comme clochailles, les six compagnons s'aplatirent contre les parois, paupières et lèvres fermées. Dans ce monde ténébreux, leur camouflage fonctionnait à merveille. Ils se permirent même d'entrouvrir imperceptiblement les yeux. Le risque était mince, dans cette forêt d'ombres et de lueurs tremblotantes.

La cour du Prinz Zzar était de celles qu'on ne soupçonne pas, même à travers les pires cauchemars.

Guerrillards, créatures hideuses, parfois à plusieurs têtes, gnomes à face d'insecte, skonjs, gnours et autres monstres. Tous noirs comme de l'encre, d'habits ou de peau, sauf certains visages, qui semblaient flotter dans cette bouillie sombre. Celui du Prinz Zzar, bien sûr, assis sur son trône, ainsi que d'autres, à l'apparence humaine. Et même bien humaine ; Bouzouk reconnut le capitaine Bougne-Sec et quelques-uns de ses soldards. Eux aussi vêtus de noir, à la mode du lieu.

Nulle trace de Miloska.

Au-dessus de ce troupeau ignoble, une myriade d'anges noirs voletaient et leurs *flap-flap* faisaient osciller les flammes des torchères.

Bouzouk fit signe à ses compagnons de le suivre et ils se faufilèrent parmi l'assemblée. Frôlant l'une ou l'autre des créatures, tremblant d'être repérés. Mais nul ne sembla se soucier d'eux.

Ils s'approchèrent du trône, où Zzar pérorait avec quelques géants aux yeux rouges. Peut-être pourraient-ils surprendre des secrets concernant la princesse. Ce fut le moment où, bondissant de nulle part, un incroyable personnage atterrit devant le Prinz. Il était coiffé d'un tricorne où pendouillaient d'énormes grelots.

Un bouffon ! Tout habillé de blanc ! Un bouffon au visage hilare, qui se mit à dandiner son postérieur telle une poule sur le point de pondre en braillant :

– J'offre un œuf de pouaque au Prinz ! Qui dit mieux ?

Et tous de hurler de rire. Y compris Bouzouk et ses amis, qui dévoilèrent leurs dents blanches comme neige.

Bigrefeux ! quelle erreur monumentale !

CHAPITRE 6

ILS SONT LÀ ! LÀ ! JE LES VOIS !

L'infâme bouffon les montrait du doigt en sautant furieusement sur place, tandis que des guerrillards, l'épée au poing, entouraient le Prinz d'un cercle impénétrable. Bouzouk s'attendait à un assaut frontal, mais l'attaque tomba du ciel. Les anges noirs s'abattirent sur eux comme des corbaillons, les faisant rouler à terre. Seul Ganachon résista ; d'une ruade, il se débarrassa de la grappe bruissante qui s'accrochait à ses basques.

– Dégalope ! lui hurla Bouzouk, ceinturé par deux anges. Tu es notre seule chance !

C'est bien ce que comptait faire le cheval, car la partie était trop inégale, même pour lui. Çà et là, des portes s'ouvraient à la volée et des guerrillards affluaient en masse, piques en avant. Ganachon bouscula anges, soldards et courtisards sans oublier de lâcher une effroyable salve de crocrottins qui stoppa net ses poursuivants.

Avant de sombrer sous une pluie de coups, Bouzouk entendit les *cataclop-cataclop* se perdre dans le corridor, puis dans l'escalier. Il était sûr que son ami réussirait.

Zzar ordonna qu'on plongeât les cinq étrangers évanouis dans un grand cuveau empli de lait d'anogre. Peu à peu, ils retrouvèrent leur aspect originel. Puis, enchaînés, revêtus d'aubes noires, les captifs furent conduits devant le Prinz. Reconnaissant Bouzouk, Zzar blêmit.

– Par Ggrok, c'est toi ! rugit-il. Qui t'a mené en Terre-Noire, avec tes crapulons, qui ?

Il était ébahi. C'était la première fois que des étrangers débarquaient dans son Krak, excepté ceux qui l'avaient suivi dans sa fuite. Comment pouvait-on traverser sans dommage la nuit éternelle et le grand désert blanc ? Il bombarda de questions Bouzouk, qui ne répondit que ceci :

– Je suis venu chercher la princesse Miloska.

Zzar bondit sur ses pieds, gifla sauvagement le jeune homme.

– Je te croyais un loup ! ricana le bouffon blanc, surgissant soudain. Tu es jaloux d'un pou ! Tu es plus pou qu'un pou, ô futur époux !

Et il éclata de rire en agitant ses grelots.

Zzar ignora son bouffon. Il saisit Bouzouk par les cheveux et lui souffla dans les narines :

– Miloska sera bientôt mienne, fruquon ! Elle m'aime, et sans que j'aie usé de tes leçons d'amour !

– Tu es triste à mourir et cruel comme une frouille, dit Bouzouk. J'ajoute que ton haleine ferait fuir une meute de skonjs. La princesse Miloska ne t'aime pas et ne t'aimera jamais.

En écho il y eut le rire de Zzar qui, d'un coup de pied, envoya Bouzouk dinguer sur le sol. La tête du jeune homme y sonna dru. Bel-Essaim abreuva le Prinz d'insultes grossières, relayée par Bouffe-Bœuf et Gorge-

Vermeille, qui en connaissaient une tripotée. Mille-Mots se contenta d'un vers :

Quand le charognard mange, il croit qu'il a chassé.

À son tour il fut jeté à terre, cette fois par le bouffon, qui n'appréciait pas la concurrence.

– Je veux te montrer quelque chose, tête à gnons, dit Zzar, un rictus haineux sur les lèvres. Amène-moi ce petit dindard, Ppasquin.

Le bouffon saisit Bouzouk par les cheveux et se mit à le traîner, trottant derrière son maître. Escaliers pentus, longs corridors au pavement bosselé, rien ne fut épargné au jeune homme. Quand Ppasquin le lâcha enfin, ce fut sur une terrasse surplombant un jardin planté d'odianes couleur de suie et de lysses mauves. Un fort parfum de boisissure s'en exhalait, car le lieu était humide et sombre. Au centre était un bassin où coulait une fontaine. La princesse Miloska y plongeait ses mains, tandis qu'une créature noiraude, aux bras innombrables, lui peignait les cheveux.

Zzar empoigna Bouzouk et le mit debout, afin qu'il pût contempler la scène.

– Vois comme elle est heureuse. Que pourrais-tu lui offrir de mieux ?

– Miloska ! cria Bouzouk. Je suis venu te chercher !

Sa voix avait fait trembler les feuillages noirs. La princesse leva lentement la tête, lui jeta un bref regard, puis retourna à ses jeux d'eau. Bouzouk eut le temps de voir ses yeux vides, aussi mornes que deux grains d'orjat.

– Tu l'as droguée ! Bec-de-goutre !

L'insulte lui valut une nouvelle gifle, tandis que Ppasquin gloussait :

– Un peu de chuut n'a jamais fait de mal aux oiselles. Elles deviennent aimantes et tendres comme des grifflons, n'est-ce pas, ô Prinz ?

Bouzouk étouffait, éructait les pires jurons. Il tentait naïvement de briser ses chaînes et son visage devenait violet sous l'effort. Zzar eut un sourire plus cruel encore.

– Tu en prendras, toi aussi, et plus que de raison. Le chuut te rendra docile. Et demain, tu égayeras nos noces, puisque c'est ton destin. Peut-être te garderai-je quelque temps, si tu bouffonnes bien.

Puis, à Ppasquin :

– Mène-le au donjon avec les autres. Et méfie-toi, ce coquouillon griffe encore.

Une fois son maître parti, Ppasquin se pencha à l'oreille de Bouzouk.

– Avant d'arriver là-haut, tu auras un accident, freluque. Pas question qu'il y ait deux bouffons en Terre-Noire !

À voir ses petits yeux cruels, Bouzouk sut que le bouffon disait vrai. Et tandis que Ppasquin le poussait rageusement dans le corridor, il appela doucement le Grand Gourougou à la rescousse. C'était le moment ou jamais.

– Je suis là, fils, murmura une voix qui semblait flotter dans l'air.

– Libère-moi vite !

Un énorme soupir lui répondit.

– Je ne peux rien pour toi, hélas. Mes pouvoirs ne valent rien en Terre-Noire. Impossible même de me matérialiser.

– Alors va-t'en, Gourougou ! Je ne veux pas que tu me voies mourir.

Ppasquin le tira en arrière en l'empoignant par les cheveux.

– À qui parles-tu, bousard ? As-tu déjà perdu l'esprit ?

Bouzouk eut soudain une énorme envie de pleurer. Énorme. Pour la première fois, il se sentit envahi par une lassitude extrême.

Sa princesse n'était plus que l'ombre d'elle-même, le Grand Gourougou s'avérait impuissant et ses amis allaient mourir. Pour couronner le tout, un bouffon vindicatif se préparait à l'expédier plus vite que prévu chez les ombres molles. Avouons qu'il y avait là de quoi déprimer un brin, et même davantage.

Chapitre 7

CE FUT SUR LE CHEMIN DES REMPARTS, QUI SURPLOMBAIENT la grève d'une hauteur vertigineuse, que Ppasquin décida d'en finir avec Bouzouk. Lorsque le bouffon le hissa sur l'embrasure d'un créneau, le jeune homme n'opposa aucune résistance. Son destin était scellé depuis longtemps ; il n'apprendrait rien de plus sur son passé, et les deux grimoires restants seraient bouffaillés par d'autres. Si ce n'était déjà fait ! Il songea aussi à ses amis, qu'il aurait voulu voir vieillir, et à sa mère.

Sa dernière pensée irait à Miloska, qui avait illuminé sa vie. Comme une comète, hélas.

Bouzouk s'apprêtait donc à basculer dans le vide, plein d'amertume et de regrets, lorsqu'il eut l'impression que le bouffon blanc s'envolait. Il vit son corps passer au-dessus de lui, brassant l'air de ses bras comme un oisillon affolé. Mais il n'y eut aucun miracle. Ppasquin ne vola point. Il s'écrabouilla même cent coudées plus bas, sur la grève noire. Sans bruit, car il était léger.

Une voix familière dit :

– C'était son heure, cavalier, pas la tienne.

Et Ganachon éclata d'un rire joyeux, avant d'ôter les chaînes de Bouzouk. Il expliqua au jeune homme qu'ayant retrouvé la couleur de sa robe depuis peu, il se cachait sur les remparts, où nul soldard ne veillait. On le traquait toujours à l'intérieur du Krak, semblait-il. Ainsi avait-il vu arriver l'immonde bouffon et son prisonnier.

Bouzouk ne remercia pas le cheval, tant il lui devait. Au contraire, il lui demanda plus encore. Tenter une cavalcade pour sauver leurs compagnons et enlever la princesse. Rien que ça. Le plan de Bouzouk tenait en trois mots : créer la surprise. Ganachon hocha la tête, convaincu.

– Monte en croupe, cavalier. Nous allons au donjon.

– Et moi, je fais diversion, dit le Grand Gourougou.

Bouzouk sourit. Même sans ses pouvoirs, même immatériel, le vieux mage jouait les anges gardiens.

La première partie du plan se déroula parfaitement. Le Grand Gourougou se mit à brailler des injures bien senties aux gardes du donjon, les entraînant à sa poursuite sur les remparts. Et poursuivre quoi, bigrectoplasme ! puisqu'il était invisible ? Pendant ce temps, Ganachon brisait d'une ruade la porte de la bâtisse, culbutait quelques geôliers, expulsait ses crocrottins à tout va. Déverrouiller les cellules et libérer ses quatre amis fut l'affaire de Bouzouk. Simple broutille. La compagnie enfourcha Ganachon et tous les six, ventre à terre, s'engouffrèrent dans les corridors du Krak. Ceux qui menaient au jardin noir.

La seconde partie du plan capota très vite. Zzar eut vent des événements. Il envoya sa cohorte de guerrillards au-devant des fugitifs, qui durent refluer sur les remparts. S'engagea alors une course échevelée entre cent géants en armures noires qui brandissaient des piques, et un cheval garni de cinq cavaliers.

– Par ici, bande de freux ! Par ici ! hurlait la voix du Grand Gourougou, qui cherchait toujours à faire diversion. En vain cette fois.

Comme les remparts faisaient le tour du Krak, et que les deux camps allaient à la même allure, la poursuite aurait pu durer longtemps. Hélas, s'y mêla un troisième camp, sous la forme d'une escouade armée barrant le chemin. Bouzouk reconnut à leur tête le capitaine Bougne-Sec, sourire aux lèvres. Le gueusard !

Pris en tenaille, que pouvaient faire les fuyards, ventregriffe ? Leur choix était mince : s'en remettre à Gozar, ou affronter l'impossible.

Le salut vint du ciel. Dans sa hâte d'en finir, Zzar avait lancé sur l'adversaire l'escadrille des anges noirs. À ce moment précis, ils fondirent sur les six amis. Aux premiers *flap-flap* qu'il entendit, Bouzouk eut une inspiration subite.

– Agrippez-leur les pieds et sautez dans le vide ! cria-t-il.

Chacun comprit le manège, s'accrocha comme il put aux chevilles des anges, courut jusqu'aux créneaux et sauta. Même Ganachon, qui avait saisi d'un coup nombre de mollets noirs, avec les dents, avec les jambes. En espérant ne pas tomber comme une pierre, vu son poids.

C'était un défi aux lois les plus élémentaires, une extravagance ! Pourtant la manœuvre réussit. N'ayant aucune envie de s'écraser cent coudées plus bas, les anges jouèrent comme prévu leur rôle de parachute, battant désespérément des ailes. Tous atterrirent sans dommage sur la grève. Ganachon un peu plus lourdement que les autres. Ils n'eurent plus qu'à chasser les sombres créatures d'un revers de main, comme des chiardons. Les pauvres anges étaient terrorisés par la chute qu'ils venaient de faire et peu enclins à combattre.

– J'ai fait des rêves semblables, dit Mille-Mots, où des chimères me portaient.

– Vous avez été merveilleux ! clamait la voix du Grand Gourougou. Splendides ! Vous étiez des oiseaux !

Bouzouk hurla qu'il n'était pas temps de bavotter. Probablement allaient-ils devoir subir un assaut sur la grève ; il fallait trouver un lieu de repli. Un rocher, une caverne, un recoin, n'importe quoi.

Pourtant, là-bas, le portail du Krak était en train de se refermer, dans un grincement sourd. Les quelques soldards qui en gardaient l'accès disparurent derrière les battants et le silence s'installa.

Zzar avait décidé d'ignorer les trouble-fête. Ou d'attendre leur départ.

Bouzouk était atterré. Les autres beaucoup moins, qui déclaraient qu'on allait pouvoir souffler un peu.

– Souffler ? balbutia Bouzouk. Alors que ma Miloska est aux griffes d'un gredard protégé des dieux ?

– Un simple passeur d'ombres, dit le Grand Gourougou. Zzar garde l'une des deux portes de l'Empire des ombres molles. Celle qui mène aux Marais-Puants, le territoire de Ggrok. Il ne pourra pas en interdire l'accès éternellement. Les ombres des assassins et des canailles sont légion, comme tu sais.

– À moins qu'il n'y ait un autre passage, murmura Gorge-Vermeille.

Bouzouk, qui bouillait d'impatience, opina. Il décida de partir seul en reconnaissance autour du Krak. Ainsi ses amis pourraient-ils reprendre quelque force. Il reviendrait vers eux muni d'un plan d'attaque. Qu'ils se reposent ! Les prochaines heures seraient violentes, à n'en pas douter.

Nul ne tenta de freiner l'ardeur du jeune homme. Tant il est vrai que rien ni personne ne peut raisonner un homme amoureux, même s'il a du foin dans la tête. Bel-Essaim enfouit son visage dans ses cheveux pour ne pas montrer sa peur.

Bouzouk s'en alla donc.

Demain ! rageait-il en marchant mine basse. *Demain*, Zzar, l'immonde crapaud, épouserait sa Miloska ! *Demain* ! Les deux syllabes vrombissaient dans son crâne comme des grelons, à lui vriller les os.

Le Grand Gourougou l'accompagnait en silence, sans qu'il s'en aperçût. Être immatériel avait du bon lorsqu'on voulait veiller discrètement sur les romantiques solitaires.

Chapitre 8

Gorge-Vermeille avait raison. Le Krak du Prinz Zzar avait une autre entrée, au nord. Une simple poterne, à peine visible de loin. Fallait-il que Zzar craignît Bouzouk et ses amis pour agir ainsi !

Le jeune homme se tapit derrière des fourmilles, car un long troupeau d'ombres molles venait de surgir de nulle part, mené par quelques guerrillards. Elles serpentaient lentement sur la grève, avec leur murmure lancinant. La colonne passa près de sa cache, soulevant une poussière de suie. Bouzouk n'hésita pas et, d'un bond, s'insinua parmi elles. Avec son manteau sombre, capuchon rabattu sur la tête, il se confondait avec la grise troupaille.

C'est ainsi qu'il pénétra pour la deuxième fois dans le Krak, et nul ne s'en soucia. Les ombres molles paraissaient ne rien voir, ne rien entendre. Aussi n'accordèrent-elles aucune attention au jeune homme.

Soit, il était entré. Mais à présent, comment fausser compagnie à la horde avant qu'elle n'atteignît les Marais-Puants ? Depuis qu'ils étaient à l'intérieur, d'autres guerrillards les avaient rejoints, pique au poing, et l'escorte les serrait de près.

– C'est toi, trouvamour ?

La question fit sursauter le jeune homme. Qui parlait ? Il ne connaissait pas cette voix.

– Je suis Drol. Tu as chanté pour moi, autrefois.

À côté de lui, une ombre molle le dévisageait de ses yeux à moitié effacés. Bouzouk observa avec attention la face lisse, aux traits flous et gris.

– Je me souviens, dit-il. C'était deux jours avant le tournoi du Kron. Je m'exerçais à pousser chanson. As-tu donc perdu la vie ?

L'autre eut un gloussement triste.

– Bah ! Une querelle avec un glébeux nommé Lopin, qui s'est mal terminée. Pour tous deux, d'ailleurs.

Il se pencha vers Bouzouk.

– Mais toi, gosier-d'or, tu n'as pas crevaillé, si j'en juge par ta mise ! Qu'est-ce qui t'amène ici ?

– L'infâme Zzar m'a volé ma promise. Je viens la chercher.

– Une histoire d'amourache, par Bbâb ! Sacré rouquin ! Dis-moi ce que je peux faire pour toi !

Bouzouk regarda autour de lui. Ils avaient rallié à présent l'immense galerie qui menait aux Marais-Puants. Mais il n'était pas mûr pour les marmites de Mmolloche, ventrebouille !

– Occupe les guerrillards un moment, que je puisse rejoindre le porche, là-bas.

– C'est comme si c'était fait, trouvamour, dit Drol, et il s'élança parmi les ombres molles.

Il y eut des remous dans le troupeau, qui cessa de cheminer. Le murmure obsédant se changea en une plainte plus forte, puis des cris fusèrent, des vivats, des hourras, et enfin des insultes.

– Pisse-en-chausses ! Bougnon !

– Purolin ! Sac à goutre !

Au centre d'un cercle d'ombres molles, qui les encourageaient, Drol et Lopin s'en donnaient à cœur joie, une dernière fois. Puisqu'ils étaient morts, ils ne craignaient plus rien, pas même les guerrillards qui s'activaient pour les séparer. Au pire risquaient-ils double ration de zol sur la langue, ou les plongerait-on dans une marmite remplie de soufre. Broutilles pour un videchausses et un glébeux qui avaient déjà souffert mille maux !

Le champ étant libre, Bouzouk en profita. Courant dans l'ombre des colonnes, il atteignit la cour, qu'il traversa en trombe. Elle était curieusement déserte mais il n'y prit garde. Le pan de brouillard masquant l'escalier, les longs corridors, bifurquer à gauche, à nouveau des marches, un couloir à damiers, une salle voûtée... il suivait le chemin jusqu'à Miloska aussi facilement que s'il avait tenu un plan. Il ne croisa personne, ni guerrillards, ni anges, ni courtisards. Bientôt il fut sur la terrasse, surplombant le jardin noir.

L'endroit était vide.

Bouzouk sentit qu'il oscillait sur ses jambes, son cœur cessa de battre un instant. Pourquoi sa vie s'obstinait-elle à lui filer entre les doigts comme des grains de sable ?

Un bruit de clochailles tinta faiblement à ses oreilles. Alors il comprit pourquoi il n'avait rencontré âme qui vive à l'intérieur du Krak. Par Zout le Couaque ! ils étaient tous au mariage ! Ce grondin de Zzar avait avancé la cérémonie, de peur d'en être empêché une seconde fois ! Il se croyait à l'abri, portail clos et rival dehors ! Il allait payer cher son erreur, bigregaffe ! et tout de suite !

Bouzouk écouta attentivement. Où donc sonnaient ces clochailles ? C'était confus, lointain…

– À l'est, fils, dit la voix du Grand Gourougou. Suis les remparts vers l'est, tu trouveras le temple. Mais fais vite, c'est Ggrok lui-même qui célèbre l'office.

Cette fois Bouzouk ne s'offusqua pas de la présence du mage à ses côtés, sans qu'il l'ait convoqué. La nouvelle était trop précieuse. Il s'élança vers les remparts, courbé en deux, pour ne pas attirer l'attention. Mais les épousailles devaient avoir attiré le Krak tout entier ; il ne croisa pas la moindre plume d'ange, ni la moindre armure noiraude. L'aubaine était belle.

Le temple surgit au détour d'un créneau, à l'angle est, comme avait dit le Grand Gourougou. Sur le parvis fourmillaient créatures, guerrillards, monstres, soldards, tout le peuple du Krak entrevu jusqu'ici. Impossible d'y pointer le museau. Que n'avait-il la ténébrelle de Mille-Mots pour se noircir le poil !

– Aide-moi, Gourougou, aide-moi !

– Vois-tu le clocheton sur le fronton du temple ? Abrite-toi dans l'ombre du renfoncement et grimpes-y !

Contournant le parvis et sa cohue, Bouzouk escalada le mur jusqu'au sommet, où il fut accueilli par un vacarme infernal, tout de bronze tintant.

– Et maintenant ? hurla-t-il.

– Attrape une des cordes à clochailles et laisse-toi glisser !

La belle idée ! Il atterrirait à l'abri des regards et ce n'était pas un carillonneur qui allait l'arrêter. Ensuite, il improviserait. Gozar, Zout ou le Grand Gourougou lui prêterait main-forte !

Il fut vite tout en bas, se posa sous l'œil médusé du sonneur, un maigrelet à tête de glonx, qu'il assomma d'une sévère gifle. Les clochailles n'en cessèrent pas de balancer pour autant, et de bourdonner d'importance. Avant que leur silence ne donnât l'alerte, il se passerait un bon moment. Bouzouk poussa une porte et entra dans le temple. Il y faisait si sombre qu'il put se faufiler parmi la foule, toujours encapuchonné de noir. Il remonta un à un les rangs sans anicroche, car tout le monde était tourné vers l'autel. Les apparitions publiques de Ggrok, le puissant dieu des Marais-Puants, étaient rarissimes. Et le voilà qui mariait Zzar, le passeur d'ombres, en son Krak de Terre-Noire ! Nul n'aurait manqué la chose pour un empire !

Il faut dire que la scène était hallucinante ! Bouzouk, qui venait de surgir au premier rang, sursauta.

Il y avait là une brochette de créatures plus monstrueuses les unes que les autres, dont Mmolloche, entouré de ses Bbroins, Rrôdar, Ddrôg, et bien d'autres encore. Tous encadraient Ggrok, qui officiait.

Ggrok ! En le regardant, Bouzouk frissonna. Géant parmi les géants, sept coudées, au moins. Un visage couleur de nuit, coiffé d'une chevelure mouvante qui ondulait comme un nid de serpents. Son corps puissant, couvert d'écailles, luisait dans la lueur des torches.

Devant lui, côte à côte, la tête levée vers un énorme ciboire que le dieu tenait entre ses griffes, il y avait Zzar et Miloska. Un cercle de guerrillards les cernait de près.

Ça faisait beaucoup pour un petit jeune homme, même très amoureux.

CHAPITRE 9

BOUZOUK POURTANT S'AVANÇA VERS L'AUTEL. SANS SAVOIR ce qui l'attendait, foudre ou néant. Il s'avança parce qu'il ne pouvait laisser sa princesse entre les mains d'un passeur d'ombres. Sa voix couvrit le tumulte des clochailles :

– Miloska, je t'aime ! Je suis là !

Il fut surpris d'entendre ces mots-là surgir de sa bouche. Des mots dérisoires, impuissants, lui sembla-t-il.

Il se trompait. Cette fois, la princesse ne resta pas de marbre. À peine eut-il parlé qu'elle tira de sa robe un poignard effilé. Agrippant violemment Zzar par le cou, elle lui plaça la lame sur la gorge.

– Je t'attendais, Martial !

Puis, à l'adresse de Ggrok, qui croisait les bras en souriant, mi-amusé, mi-étonné, elle hurla :

– Toi, le lézard, bouge une seule écaille et ton Prinz rejoint les ombres molles ! Laisse-moi sortir du temple avec mon promis !

Mon promis ! Elle avait dit *mon promis* ! Un bonheur sans nom inonda Bouzouk. Ces deux mots le payaient de

127

tout. Pour le reste, il n'était pas inquiet. Deux amants réunis bravent tous les périls, disait Trousse-Cœur le trouvamour.

Ggrok aurait pu désarmer la princesse d'une pichenette, car c'était un dieu puissant et friand de magie. Mais il trouva l'incident plaisant. Cette cérémonie l'ennuyait à mourir et Zzar plus encore. Un pisse-froid, un pétochard ! Et quelle idée d'épouser une étrangère sèche comme trique, alors que son Krak regorgeait de créatures girondes ! Par Moi-même, pensait-il, ce triste sire méritait une leçon.

Il laissa donc faire, arrêtant les autres dieux qui voulaient réduire en cendres la péronnelle et le tourtereau. Plus tard, leur dit-il, quand ce sera l'heure. Il ordonna aux guerrillards d'isoler les deux pistouilles dans un coin du Krak, de les assiéger le temps qu'il faudrait, et d'attendre leur reddition ou qu'ils s'assoupissent. Alors on récupérerait Zzar s'il n'avait pas été découpé en morceaux. Sinon, on en changerait. Ce n'étaient pas les Zzar qui manquaient en Terre-Noire ou ailleurs ! Des cruels, des rouards, il y en avait tant et plus ! Et ceux-là ne se mêleraient peut-être pas de jouer les seigneurs, d'avoir des courtisards et une garde personnelle, d'épouser une vierge venue d'Assussie !

– Qu'on me prévienne lorsqu'ils seront à point. Je déciderai de leur sort.

Sur ce, Ggrok retourna à ses affaires, qui étaient innombrables.

Bouzouk et Miloska, traînant un Zzar livide, tentèrent de passer le front des guerrillards, qui bloquaient toutes les issues autour du temple.

– Écartez-vous, porcs-à-piques, ou je trouaille le Prinz ! cria Miloska plusieurs fois et elle tremblait d'user d'une telle menace.

Les guerrillards ne bougèrent pas d'un pouce. Fallait-il faire perler quelques gouttes de sang au cou de Zzar pour les faire reculer ? Bouzouk chercha plutôt un lieu de repli, afin de souffler un peu, et d'aviser.

Ce fut dans une des tourelles des remparts, qui surplombait le vide. Elle regorgeait de sacs, de coffres. Miloska en ouvrit un, qui était vide, et pria Zzar d'y entrer.

– Pas ça, princesse, par pitié, gémit-il. J'étouffe quand je suis enfermé.

Bouzouk l'empoigna, le plia en trois et referma le couvercle.

– J'ai rêvé ou cette canaille a parlé de pitié ?

Puis il chuchota, s'adressant à son ami invisible :

– As-tu une idée pour la suite, Gourougou ?

Pas de réponse. Le vieux mage avait disparu. Peut-être cherchait-il du renfort auprès de Ganachon et de ses amis. Qu'importe ! Ils étaient seuls à présent. Cernés de toutes parts, sans grand avenir, mais seuls, enfin, face à face.

– Je savais que tu viendrais…

– Je te cherche depuis si longtemps, princesse…

Ils se rapprochèrent lentement l'un de l'autre et s'enlacèrent, comme avec précaution. Bouzouk caressa le visage de Miloska pour la première fois ; sa peau était semblable à celle de l'omangue, légèrement duveteuse, parfumée. Il la goûta en y posant ses lèvres. Miel et ambre. Il la caressa encore, ébloui, enivré.

Miloska pleurait sans bruit, la tête entre les deux mains de Bouzouk.

— Je t'ai vu l'autre fois, sur la terrasse, quand j'étais au jardin. J'ai failli mourir de bonheur.

— Tu es pourtant restée de glace. Je te croyais abrutie par le chuut.

— J'aurais dû l'être. Zzar avait chargé une créature de m'en abreuver régulièrement. Mais très vite, elle s'est mise à le boire elle-même. Moi, je faisais semblant.

Ça n'était pas bien difficile : le chuut provoquait une hébétude totale, peuplée de brouillards. On plongeait dans une bouillie de joie imbécile. Il suffisait d'avoir le regard vide et de peindre un sourire de couaque sur sa bouche pour faire mine d'en avoir pris.

Sans la gourmandise de la créature, Miloska serait devenue une ombre molle bien avant son heure.

Ce qui l'avait sauvée aussi, c'était d'avoir eu foi en ce jeune homme fougueux qui lui avait tant crié son amour, alors qu'ils se connaissaient si peu. Elle était entrée dans le temple, serrant un couteau sous sa robe. Pensant violemment à Bouzouk, l'espérant de toute son âme. S'il n'était pas venu, elle aurait plongé la lame dans son cœur, sous les yeux de Zzar. Du moins s'en était-elle convaincue.

Ils restèrent ainsi longtemps enlacés, racontant les événements qui les avaient conduits l'un vers l'autre. Jusqu'à se souvenir qu'ils étaient assiégés dans la tourelle d'un Krak.

Bouzouk jeta un œil par une fissure, entre deux planches de la porte. L'horizon se réduisait à une forêt d'armures noires. Sans oublier les anges qu'il entendait voler autour de la tourelle comme des frouilles affamées. Il fallait négocier, et vite. Zzar était une formidable monnaie d'échange. Sa liberté contre la leur semblait un pacte raisonnable. Bouzouk fit sortir le Prinz du coffre et lui plaça la lame sur le cou. L'autre avait l'œil hagard, le cheveu collé par une sueur d'effroi.

– Comment se nomme le chef de tes culs-d'encre ?

– Yyâar, lâcha Zzar.

Miloska manœuvrait déjà le lourd verrou de la porte. Tenant Zzar comme un bouclier, Bouzouk s'encadra sur le seuil.

– Yyâar ! Approche ! Je veux parlementer !

Un guerrillard se détacha des autres, s'approcha lentement, la pique au poing. Ses yeux rougeoyaient dans l'ombre de son casque.

– Parle, maudit Bouzouk ! aboya-t-il d'une voix terrible.

– Tu sais mon nom ?

– Nous t'avons combattu autrefois, au château de Knut le Fourbe.

– J'ai bataillé contre des Bblettes, pas contre vous.

– C'étaient nos ombres, chien ! L'ombre des guerrillards de Terre-Noire ! Elles appartenaient à Ggrok ! Et tu les as brûlées comme vulgaires fourmilles ! Ce faisant, fruquon, tu nous as réduits à n'être que les gardes du Prinz ! Des porteurs de piques ! Alors qu'à l'est, dans ton monde, les Bblettes étaient de rudes mercenaires ! Libres ! Se louant à qui les payait bien ! Se nourrissant de vos freux, de vos glébeux, de vos soldards ! Vois, maudit crapion, ce que tu as fait de nous !

Il disait vrai. À ses pieds, nulle trace d'ombre.

Bouzouk se taisait. Ce qu'il entendait lui cadenassait la gorge. Retrouver trace des Bblettes, ici, à Terre-Noire… C'était incroyable. Et ces guerriers gorgés de vengeance étaient plus terrifiants que leurs Bblettes d'ombres !

Yyâar poursuivait, de sa voix venimeuse :

– J'espérais que tu viendrais. Un chougnard de ton espèce fourre son nez partout. Derrière moi, il y a cent guerrillards qui t'attendent, eux aussi. Nous patienterons encore pour t'embrochailler, puisque Ggrok te veut vivant.

– Ggrok est bien bon. Rappelle-lui que nous tenons le Prinz, dit Bouzouk, retrouvant sa voix.

Yyâar éclata d'un rire énorme.

– Qu'il crevaille, ce pisse-en-chausses ! rugit-il. Tu voulais me parler, tueur d'ombres ?

Bouzouk ne répondit même pas. Il recula précipitamment de trois pas et Miloska ferma la porte. Ils se regardèrent, épouvantés.

Zzar ne valait plus rien. Ni Bouzouk, ni Miloska. Dans cette tourelle cernée d'anges et de géants noirs, les deux amoureux étaient au bord du gouffre.

Chapitre 10

Le temps passa. Comme il n'y avait ni jour ni nuit, c'était pire que l'éternité. Zzar, plié en trois dans son coffre, ruminait son désespoir ; Bouzouk et Miloska, enlacés, attendaient un événement improbable. Ainsi Ganachon et compagnie déboulant sur les remparts, ou Gozar, le dieu des dieux, pris de pitié pour deux pauvres victimes. Et pourquoi pas Zout, ce mol ectoplasme, jouant son rôle protecteur, enfin ?

Rien de cela n'arriva. Ils eurent de plus en plus froid, de plus en plus faim et soif. Bouzouk émit à voix haute l'idée qu'ils pourraient découper Zzar en morceaux et le faire griller. Hurlements dans le coffre, gloussements de Miloska. Ils tuaient le temps comme ils pouvaient. Bouzouk se prit à espérer un assaut sauvage des guerrillards, et que tout finît.

Il y eut soudain des pas au-dessus d'eux, au grenier. Bouzouk bondit, couteau au poing. Une planche craqua, puis une seconde. Quelqu'un ouvrait un passage. À présent, un chuchotement parvenait jusqu'à eux, qui disait :

– Roupoil ! Tu m'entends ? Réponds-moi, cornecru !

Bouzouk fronça les sourcils. Qui donc l'appelait roupoil ? Il s'avança vers l'orifice qu'il devinait, dans le plafond de bois sombre, et vit deux yeux briller.

– Je viens en ami, roupoil. Laisse-moi descendre, que je t'explique.

Bouzouk acquiesça d'un grognement mais garda la lame dardée vers les deux bottes qui se glissaient dans l'ouverture. L'homme qui retomba sur les dalles était le capitaine Bougne-Sec. Devant l'arme pointée vers lui, il leva ses deux mains en signe d'apaisement.

– Calme-toi, gazouilleux. Je viens te proposer un pacte.

Il s'assit sur un coffre, regarda autour de lui.

– Où est Zzar ?

– Bavotte d'abord. Qu'est-ce que tu veux ?

– Si je suis à Terre-Noire, c'est sur ordre du Kron. Et ma mission est d'importance : je dois ramener la Krone au palais.

– La Krone ? Mais elle est morte, Bougne-Sec ! Morte !

– Je sais, roupoil. C'est pour cela que Zzar m'est nécessaire. Lui seul peut me permettre d'entrer dans les Marais-Puants, pour y récupérer l'ombre molle de la Krone. On m'a appris la disgrâce du Prinz. Ggrok veut s'en débarrasser, semble-t-il. Si je ne prends pas les devants, je suis racuit. Sans Zzar, pas d'ombre molle. Si je reviens les mains vides, le Kron me fera bouffailler par ses grifflons.

Par Zout ! Bouzouk venait de tout comprendre.

– Le Kron échange sa fille contre sa femme défunte !

– Oui, roupoil. Le Kron n'a jamais accepté son veuvage. Il a envoyé une ambassade en Terre-Noire pour récupérer sa femme, qu'il adorait. Sans en avertir Ggrok,

Zzar a accepté, en posant ses conditions : pour rendre l'ombre molle de la Krone, il exigeait la main d'une princesse plus belle que le jour. N'en ayant pas sous le coude, le Kron a fait chercher partout et l'a trouvée en Assussie. La princesse Miloska était parfaite : orpheline, esseulée, et très belle. Tu vois, c'était un marché, un simple marché.

– Et une grande histoire d'amour, murmura Miloska, rêveuse.

Bouzouk haussa les épaules. Adopter une jeune fille pour mieux la vendre à un passeur d'ombres ! Il trouvait l'attitude du Kron abominable. Un porcasse, un cul-degoutre ! Quant à la Krone, elle avait dû lui ressembler, pour atterrir chez Ggrok.

– Où est Zzar ? répéta Bougne-Sec.

– Sous ton gropotin, soldard. Tu es vautré dessus. Mais dis-moi : qui t'a parlé de la disgrâce de ce freu ?

Après avoir sauté en l'air, effaré à l'idée de s'être assis sur Zzar, Bougne-Sec évoqua une voix entendue dans la salle d'armes. Une voix qui lui avait expliqué la situation, suggéré un plan et indiqué comment grimper jusqu'au clocheton de la tourelle. Du Grand Gourougou tout craché, songea Bouzouk, et il le remercia intérieurement. En dépit de son impuissance, le vieux mage continuait à se rendre utile.

Zzar fut tiré sans ménagement du coffre et sommé de conduire le trio dans les Marais-Puants. Il convint qu'il ne valait plus tripette dans le quartier et qu'il lui fallait changer de camp. Le Prinz tenait à sa misérable vie.

– Je sais un passage secret, dont je me sers parfois pour aller me repaître des délices du Cloaque. Ggrok luimême ignore son existence.

Bouzouk grimaça de dégoût. Bigremugle ! le sacripaud allait se rincer l'œil dans les Marais-Puants ! Contempler les affres des ombres molles, les bouillons des marmites ! La danse des Bbroins ! Répugnant.

Ils grimpèrent tous dans le grenier, se hissèrent sur le toit d'écailles noires. La robe de Miloska, qui traînait jusqu'à terre, la gênait. Elle en arracha la moitié pour être plus à l'aise. Bouzouk trouva qu'elle avait les mollets jolis à croquer.

Échappant à la vue des guerrillards amassés devant la tourelle, ils rampèrent sur la crête des remparts. Bientôt, à la suite de Zzar, ils dégringolaient une échelle de fer, couraient dans des corridors, jusqu'à trouver un escalier en colimaçon.

Au fur et à mesure qu'ils s'enfonçaient dans les profondeurs, la température s'éleva. Sans conteste, on s'approchait des marmites de Mmolloche. Ils parvinrent dans une grotte de petites dimensions, dont l'une des parois percée s'ouvrait sur les Marais-Puants. On ne voyait pas grand-chose. Des ombres s'agitant au milieu d'épaisses fumerolles, des lueurs rougeoyantes, un brouillard zébré d'éclairs verdâtres.

– Attendez-moi ici, dit Zzar. Nul ne doit vous voir.

– Se fier à toi, bousard ? Pas question ! trancha Bouzouk, qui tenait toujours son coupe-tripes.

– A-t-on vraiment le choix ? grogna Bougne-Sec.

– Moi, j'ai confiance en Zzar, dit Miloska.

Ces quelques mots parurent fouetter le Prinz. Il regarda la princesse comme s'il la voyait pour la première fois. Il se redressa, bomba le torse.

– Je ramènerai la Krone, jura-t-il. Parole de passeur d'ombres.

Bouzouk soupira. Que valait le serment d'un grondin de son espèce ? Mais le capitaine avait raison : ils n'avaient guère le choix.

Zzar s'engagea donc seul dans le territoire de Ggrok, tandis que les trois autres se terraient dans la grotte.

Ils attendirent un long moment ; Bougne-Sec rongeant son frein et les deux amoureux tour à tour oscillant entre l'espoir et l'effroi, tant les bruits, les cris qu'ils entendaient leur pétrifiaient le cœur.

Deux silhouettes surgirent enfin parmi les fumerolles. L'une marchait d'un pas vif, triomphant, l'autre glissait à ses côtés, recouverte d'une aube noire. Zzar avait tenu parole. Il ramenait la Krone.

CHAPITRE 11

QUICONQUE REVENU DE L'EMPIRE DES OMBRES MOLLES aurait dansé de bonheur. Gozar n'accordant que très chichement une seconde vie aux morts, le privilège était exorbitant. Surtout lorsqu'on logeait dans les Marais-Puants, où l'on subissait des traitements extrêmes.

Pourtant, sur le visage à demi effacé de la défunte ne se lisait ni plaisir, ni soulagement. Ni, à vrai dire, le moindre sentiment. De son vivant, la Krone avait été cruelle, égoïste et ingrate. Elle avait expédié au cachot maintes servantes, pour des prétextes futiles. Ainsi que divers drillons, lorsque leur tête ne lui revenait plus. On disait même qu'elle avait livré quelques drôles en pâture aux épinuches qui infestaient les fossés du palais. Non, la Krone n'était pas des plus bienveillantes. Il n'y avait aucune raison pour qu'elle fût différente après un séjour chez Ggrok.

Elle ignora Bougne-Sec prosterné à ses pieds, quémandant un mot, un regard.

– J'espère que le retour sera plus confortable que l'aller, dit-elle d'une voix morne. L'eau du Zyxx était glacée. Je ne m'y noierai plus.

139

– Ne compte sur personne pour te porter, répliqua Bouzouk. Tu useras tes semelles comme les freux !

– Cessez donc de bavotter, siffla Zzar, redevenu lui-même. Nous ne sommes pas encore tirés d'affaire. Ggrok a des yeux partout.

Il s'engouffra dans l'escalier, et les autres derrière lui. S'ensuivit une course prudente à travers les couloirs sombres du Krak, où il fallait à tout prix éviter les rencontres, jusqu'au vantail d'une poterne débouchant sur la grève, au milieu des fourmilles. Idéal pour passer inaperçu. Zzar connaissait bien les dédales de son palais et ses alentours.

Devant eux était la mer de glace, aussi immobile qu'un miroir. Pprûut, le dieu des bourrasques, ne les avait pas encore repérés. Ni Ggrok, semblait-il.

– Regarde, chuchota Miloska à l'oreille de Bouzouk.

Elle montrait une houle lointaine sur la grève. Des ombres molles par dizaines, par centaines peut-être. Bouzouk mit la main en visière et vit l'encolure de Ganachon dépasser de la marée sombre, ainsi que la tête de Gorge-Vermeille, à cause de sa grande taille.

– Nos amis sont en danger, dit-il et, prenant la main de Miloska, il s'élança vers le lieu du drame.

Car drame il y avait. Le second accès au Krak, la poterne nord, avait été fermé sur l'ordre de Ggrok, agacé par la présence d'intrus sur Terre-Noire. Pas question que d'autres étrangers investissent le Krak. Ce faisant, on avait empêché les ombres molles d'y pénétrer. Furieuses, ne sachant où aller, elles avaient ratissé la grève. Et assailli les premiers venus : Ganachon et la compagnie.

Voilà un long moment déjà que les cinq amis, réfugiés sur un rocher, repoussaient leurs assauts. C'était facile, car les attaquants étaient sans consistance ; mais également malaisé, car ils revenaient sans cesse, comme des vagues battant la côte. De surcroît, leur perpétuel et lancinant murmure avait de quoi tournebouler l'esprit.

C'est vers cet affrontement singulier que couraient Bouzouk et Miloska. De même Zzar, ragaillardi comme jamais. Il voyait dans tout cela la possibilité d'un retour en grâce. Il garderait Miloska, récupérerait l'ombre molle de la Krone et enverrait Bouzouk au Cloaque. Trois raisons qui le firent fendre l'air. Il dépassa les tourtereaux et se mit à hurler :

– Chiennes galeuses ! Je suis le passeur d'ombres ! Votre maître !

Il courait vers elles, menaçant, brandissant ses poings, s'égosillant.

– Je vous veux molles ! Évanouies ! Rampantes ! Disparaissez ! Ou j'envoie mes guerrillards vous briser comme du verre !

Zzar était ivre de sa toute-puissance. Certain que les ombres molles allaient lui obéir sur-le-champ. Il retrouverait la confiance de Ggrok, qui lui pardonnerait ses erreurs. Il serait de nouveau seigneur du Krak et sa troupe de géants noirs massacrerait les six étrangers ! Il éclata d'un rire dément.

Puis il se tut, car une vague d'ombres le cernait, le mettait à terre. Il se tut car des centaines de mains et de pieds flasques le frappaient ; des dents tentaient de lui déchirer les yeux, le nez, le ventre, les jambes. La marée grisâtre s'acharna ainsi sur lui, longtemps, en poussant des cris rauques. Bouzouk vit une forêt de bras s'élever et retomber à tour de rôle, comme des fléaux de glébeux. C'était hallucinant.

Peu à peu, Zzar disparut sous la masse grouillante. Et, tandis que Ganachon emmenait sur son dos ses huit cavaliers, il mourut. Quand les ombres molles cessèrent de le persécuter, et refluèrent vers les remparts, elles laissèrent un cadavre intact, aux yeux grand ouverts, remplis d'effroi. Elles avaient fait payer au maudit passeur d'ombres leurs souffrances passées et à venir.

Les fugitifs étaient déjà loin. Ganachon avait retrouvé son Bouzouk et caracolait comme un poulain vif, malgré le poids qu'il portait. Cependant, apprenant leur fuite, Ggrok entra dans une colère effroyable. Que ce freu de Bouzouk emportât avec lui une des ombres molles du Cloaque lui était insupportable. Il ordonna à Pprûut de souffler sur la mer de glace à s'en crever les joues. À Mmolloche, Rrôdar, Ddrôg, Bbâb et toute la bande des Marais-Puants, dont la cruauté était sans bornes, Ggrok permit de faire ce qu'ils voulaient. Ce qui allait tomber sur la tête des fuyards serait pis que l'apocalypse.

Il en riait d'avance.

Gozar ne le toléra pas. Comme on s'en doute, il suivait les événements d'un œil attentif. Ces gens lui plaisaient, qui bravaient la mort pour une histoire d'amour. Et puisque Zout, son fils, n'était pas à la hauteur, il protégea les fugitifs jusqu'aux limites du grand désert blanc ; il leur permit de s'évanouir dans les ténèbres, de se matérialiser de l'autre côté du monde, là où il y avait un ciel. Ggrok et ses sbires durent se soumettre au dieu des dieux, mais le maître des Marais-Puants en conçut une aigreur infinie.

Le Grand Gourougou, redevenu visible, put enfin serrer ses amis sur son cœur. Il semblait avoir vieilli d'un siècle, tant l'angoisse l'avait tenaillé, tout au long de ces rudes aventures. Il annonça qu'il partait se reposer dans le désert de Fouk-Fou, sur sa corniche.

– Et, par Gozar, tiens-toi tranquille cent ans, Bouzouk ! soupira-t-il, avant de disparaître.

Mais chacun savait qu'on le reverrait un jour ou l'autre. Entre le mage et son disciple s'étaient tissés des liens indestructibles.

Bouzouk et la compagnie firent donc route vers les Kronouailles. À moindre allure, puisqu'ils avaient échappé aux foudres de Ggrok. Ganachon pesta contre Bougne-Sec et la Krone, qu'il aurait bien vus poursuivre leur chemin à pied. Bigrederche ! ronchonnait-il, ces deux-là pesaient leur poids de vilenies et de bêtise. Miloska, bienveillante, obtint que le cheval fît un effort. D'ailleurs l'ambiance était si joyeuse que tous méritaient de la partager. Contre toute attente, Bel-Essaim ne boudait pas la princesse. Elles semblaient même s'entendre à merveille, au grand soulagement de Bouzouk.

Chose curieuse, la Krone se recomposait peu à peu, perdait ses traits flous. Elle était plutôt belle. Mille-Mots lui fit quelques petits compliments à ce sujet, qui la firent glousser.

Puis, un soir, ils parvinrent en vue du palais du Kron. Bouzouk déclara qu'on y déposerait Bougne-Sec et la Krone, puis qu'on déguerpirait aussi vite que possible. Frayer avec ce grenuchon de Kron le dégoûtait plus que tout. Miloska, qui avait déjà pardonné, haussa les épaules. Encouragée par Bel-Essaim et Gorge-Vermeille, elle décréta que toutes les histoires d'amour se valaient, celle du Kron comme les autres. Ganachon, Mille-Mots et Bouffe-Bœuf étaient beaucoup plus sévères, mais on ne les écouta pas. D'autant que la Krone, enfin aimable, avait

claironné que son veuf organiserait à coup sûr une bamboche pour fêter son retour ! La plus belle bamboche
qu'on ait vue au palais depuis des lustres, promit-elle.

Après ce terrible épisode, qui n'aurait eu envie de
danser et de faire ripaille ?

Chapitre 12

Impossible de décrire la fièvre qui s'empara du palais quand y parvint la nouvelle du retour de la Krone. À commencer par le Kron lui-même, alerté pendant son sommeil. Vêtu d'un seul caleçon, il enfourcha le premier canasson venu et ordonna qu'on abaissât tous les ponts-levis, qu'on ouvrît tous les portails. Puis il s'élança vers sa bien-aimée en hurlant sa joie. Suivaient, à pied, les courtisards, drillons, soldards et grifflons. Ce fut une cohue sans pareille qui accueillit Ganachon et ses huit cavaliers.

La Krone et le Kron tombèrent dans les bras l'un de l'autre sous les hourras de la foule et une fanfare se mit à jouer des airs guillerets. À Bouzouk, qui voulait déjà repartir, Miloska souffla qu'elle avait une petite faim, et grande envie de repos.

Le Kron complimenta Bougne-Sec, qu'il nomma maréchon sur-le-champ. Il se montra aussi sournois qu'à l'ordinaire, en clamant son plaisir de revoir la princesse. Miloska, bonne fille, laissa dire. Bouzouk bouillait.

Puis le Kron invita chacun à le suivre et, son épouse en croupe, serrée tout contre lui, s'en fut vers le palais.

Malgré la fourberie du drôle, l'amour fou qu'il portait à sa femme était admirable. Même Bouzouk en convint. Et ce fieffé gredard restait le père adoptif de sa promise, qu'il le voulût ou non. En quelques mots, il convainquit Ganachon, Bouffe-Bœuf et Mille-Mots d'accepter l'invitation.

On les installa dans de somptueux appartements, où ils se reposèrent en attendant la bamboche, qu'on préparait déjà. Le chambellan Bugle-d'Or vint saluer Bouzouk ; il avait ameuté foule de trouvamours, jongleurs, musiciens, funambules, acrobates, et autres cracheurs de feu. Puisque celle des épousailles avait raté, gloussa-t-il, on allait s'empiffrer d'une fête effrénée.

On leur apporta des habits pour remplacer les aubes sombres de Terre-Noire, devenues des loques. Bel-Essaim demanda à être coiffée, maquillée, parfumée, et Gorge-Vermeille lui emboîta le pas, ainsi que Miloska. Les trois femmes voulaient être belles pour la bamboche. Bugle-d'Or fit appeler Mascaron, qui envoya un essaim d'apprentis perruquiers. Lui-même était souffrant, affirmèrent-ils.

Bouzouk serra les poings. Mascaron ! L'horrible gandin qui voulait lui faire décoller la tête par le chirurgien Taille-Couenne ! Certes, s'il le rencontrait, cet emparfumé passerait un mauvais quart d'heure ! Mais surtout, son nom replongea soudain Bouzouk dans sa quête malheureuse, que les aventures récentes avaient reléguée au second plan. Le troisième grimoire n'était pas réapparu. Il était même douteux qu'il le retrouvât jamais. Après tout, Mille-Mots avait fort bien pu se tromper sur l'identité de son acquéreur. Cette histoire de perruquier avait été une fausse piste dès le départ.

Bouzouk soupira. Il tenta de chasser ces funestes pensées en regardant sa Miloska se faire pomponner par trois jeunes frisottins qui s'agitaient comme des poupillons autour d'elle, mais rien n'y fit. Il se mit à arpenter les couloirs du palais. Pourquoi ses pas le menèrent-ils à la perruquerie et pas ailleurs ? Mystère. Il reconnut la porte, les parfums qui flottaient, poussa le battant. Rien n'avait changé depuis la dernière fois.

Même forêt de tiges de bois exhibant les visages coiffés de perruques, même armada de miroirs sur les murs. Il ouvrit la porte dérobée, sous l'escalier. Frissonnant de dégoût, il retrouva les masques de peau, l'armoire aux têtes vivantes. Au fond de la pièce, parmi de lourdes tentures, il avisa un passage, vaguement éclairé. Des gargouillis lui parvenaient, le murmure d'une fontaine. Il entra.

Assis dans une immense conque nacrée, Mascaron prenait un bain. Il avait fermé les yeux, tout à son plaisir. Au-dessus de lui, sur le mur, un visage de bronze crachait un jet d'eau chaude.

Bouzouk l'observa un moment, pensif. Le perruquier avait une cicatrice rougeâtre, légèrement boursouflée, qui faisait le tour complet de l'encolure. *Qui faisait le tour complet de...* Un déclic se fit dans la tête du jeune homme. C'est alors que Mascaron ouvrit les yeux. D'abord il parut ne pas apercevoir Bouzouk, tant il resta immobile. Puis il bondit hors de l'eau, mais une main de fer l'empoigna et le rassit dans la conque. Ses petites jambes maigrelettes s'agitèrent, il fouetta l'eau de ses bras, couina, terrorisé. Bouzouk dut le gifler afin qu'il se calme.

– Qui es-tu, dindard ? Mascaron ou un autre ? Qui t'a fait cette marque autour du cou ? Taille-Couenne ?

L'autre opina, les yeux arrondis par la peur. Il bredouilla que, si son nom était bien Mascaron, il portait la tête d'un cuistot du palais, qui lui allait mieux que la sienne.

– Et ta vraie trogne, où est-elle ? rugit Bouzouk. T'en souviens-tu ? As-tu perdu la mémoire avec elle ?

– Hélas, oui. Mais Taille-Couenne, qui m'est très proche, a réussi à dénicher des grimoires de perruquier, que j'ai engloutis jusqu'à plus soif. Il n'était pas dans mon intention de devenir cuistot, beloiseau ! Bien que j'aie encore dans la cervelle quelques recettes de...

– Cesse ta fichue bavotte et réponds, fruquon ! Où est ton crâne de perruquier ?

Mascaron déglutit péniblement. Ce jeune homme n'était pas à prendre avec des pincettes, fichtre non.

– Taille-Couenne conserve toutes les têtes qu'il tranche dans des bocaux. Peut-être l'a-t-il encore.

– Mène-moi à cette sinistre collection.

Mascaron s'habilla d'une capille et conduisit Bouzouk au cabinet du chirurgien. Il ne saisissait pas pourquoi le mignon voulait contempler son ancienne figure. Elle devait être laide comme pouaque.

Taille-Couenne était là, à disséquer un cadavre. Reconnaissant Bouzouk, il brandit son bistouri comme un sabre, prêt à défendre chèrement sa peau, trompeta-t-il. Puis il s'évanouit au beau milieu des viscères de son patient. Ce terrible boucher était un lâche de la pire espèce.

Bouzouk avisa les bocaux alignés sur le mur. Dans le cinquième flottait la tête qu'il cherchait. Elle avait la peau criblée de trous et, dépassant d'une lèvre épaisse, deux dents de rat.

– Pouach ! J'étais ignoble ! cracha Mascaron. J'avais l'air d'un…

– Montre-moi ta bibliothèque, sac à goutre ! hurla Bouzouk, et son cœur cognait.

L'autre n'eut pas le temps de protester que déjà il avançait à coups de pied dans les fesses. Décidément, il ne comprenait rien à ce pistounet à crins rouges ni à ce qu'il cherchait.

CHAPITRE 13

DEPUIS COMBIEN DE LUNES COURAIT-IL APRÈS CE MAUDIT grimoire ? Combien de batailles, de trahisons, de dangers, d'espoirs ? Jusqu'à ce terrifiant bout d'é-ternité en Terre-Noire...

Et pour le trouver ici, au palais du Kron. Simplement rangé dans la bibliothèque du perruquier Mascaron, qui l'y avait oublié. Entre un atlas du pays d'Orgon et un recueil de poèmes coquins. Bouzouk vit son nom sur le dos du grimoire, suivi du chiffre III. L'ouvrage était intact. Il le saisit d'une main moite, ivre d'une joie mêlée d'ap-préhension.

Il planta là Mascaron éberlué et fonça vers les appar-tements où étaient ses amis. Une fois de plus, il ne vou-lait pas prendre connaissance de son passé à leur insu. Il entra sans un mot, brandissant le grimoire, et tous se figèrent, même les frisottins qui officiaient autour des femmes. Bouzouk les renvoya d'un geste et s'assit sur un banc.

– Je t'avais dit qu'il était ici ! triompha Mille-Mots.

Miloska, à qui Ganachon venait tout juste de ra-conter l'histoire de son promis, et ce depuis le Cuvon des

Bougres, s'installa à côté de lui. Bouleversée par ce qu'elle venait d'entendre. Les autres firent cercle et attendirent. Le jeune homme ouvrit doucement le grimoire. Attendant que l'étau dans sa poitrine se desserrât, que son cœur palpitât moins fort. Puis il débuta la lecture.

Les derniers souvenirs du tome II s'arrêtaient dans la cour du fort de Morte-Paye, lorsque son père avait chassé sa mère et Paulin d'Abba, en leur promettant une chasse impitoyable. Ce qu'il lut tout d'abord fut cette traque honteuse.

Baroud de Morte-Paye l'avait forcé à le suivre. C'est entre deux cavaliers, afin qu'il ne s'enfuît pas, que Martial avait accompagné son père pourchassant les amants. Ils les avaient rattrapés peu avant les gorges d'Zwmlgfsct, dans un bois de fourmilles où ils se terraient. Leur cheval était sur le flanc, mort de trop d'efforts. Morte-Paye avança sur eux, l'épée au poing, et, devant Martial, leva sa lame pour les massacrer. Pourquoi ne l'abaissa-t-il pas ? Fut-ce à cause du hurlement de son fils ? Des supplications de sa femme ? Du couplet que Paulin entonna, qui disait que les amoureux ne craignent pas la mort pourvu qu'ils meurent ensemble ?

Toujours est-il qu'il revint vers Martial sans les avoir tués. Il enveloppa le jouvenceau dans sa capille, le prit en croupe et repartit vers le fort.

Plus tard il prétendit avoir eu pitié. Et que, s'il avait levé une armée pour reprendre sa femme enfuie au royaume d'Opule, ce fut surtout parce que le Kron le lui avait demandé : vaincre Knut le Retors, alors roi d'Opule, aurait amené mainte picaille dans les coffres royaux…

Dès cette terrible nuit commença pour Martial une vie nouvelle. Après l'heure des trouvamours, ce fut celle des maîtres d'armes. On lui en trouva une tripotée, qui lui enseignèrent patiemment tout ce qu'il ne savait pas faire : tirer à l'arc ou à l'arbatelle, jouer du coupe-tripes, de la pique, de la serpaille. Il apprit à trouer la panse de mannequins montés sur des chevaux en bois, à courir le dos bardé de plomb. On lui montra comment bourrer les bombarbons de grenaille ou huiler son armure de graisse d'ouffe. On lui fit combattre des glébeux et des freux, qu'il pouvait rosser à son gré. On l'initia au maniement de la piquemuche et du lacet à étouffer. Sans parler des poisons, de l'embroche-cœur. On lui inculqua même la façon de trancher les jarrets des chevaux lors des batailles, pour faire choir le cavalier.

Bientôt l'art du combat n'eut plus de secret pour Martial de Morte-Paye. Son père voulait faire de lui un soldard, un conquérant. En cinq ans, il y réussit parfaitement.

Le grimoire évoquait toutefois la résistance de Martial, au début de son éducation ; ainsi ses fuites éperdues dans la campagne, les soldards à ses trousses ; les colères de son père, qui l'isolait de temps à autre dans une cellule, sans manger ni boire ; les séances de fouet à six queues, pour lui endurcir le cuir, et les cris qu'il poussait, étouffés par une cagoule.

Mais il y avait aussi les longues promenades à cheval avec Morte-Paye, la chasse au baribou, à l'ongre. Et les soirées d'hiver où son père, devant la grande cheminée flambante, lui lisait des récits de batailles, de conquêtes. Il lui parlait aussi de ses voyages lointains, comme ceux qu'il avait accomplis dans l'empire de Ziao. Quelques moments précieux dans sa vie d'empoigne et de fureur.

Bien sûr le grimoire disait son chagrin de ne plus voir sa mère ; son désespoir et, parfois, l'envie de retourner une lame contre son cœur, de se jeter du haut des remparts. Au fort de Morte-Paye, le nom de Guilledouce était banni, ses portraits avaient été brûlés, ainsi que tout ce qui lui avait appartenu. Martial avait réussi à sauver un de ses colliers d'orfle, qu'il portait sous sa cotte de lin.

À vingt ans, le fils de Morte-Paye était donc devenu un combattant redoutable, sans égal chez les soldards du fort. Personne ne pouvait le battre en duel dans les tournois, ni au corps à corps, ni à l'épée. Baroud en était formidablement fier.

À cet instant de la lecture, Bouzouk laissa lentement retomber le grimoire sur ses genoux. Autour de lui flottait un silence de mort. Il lui sembla que ses amis le regardaient d'une autre façon. Qu'ils le jugeaient, peut-être. Ce Martial-là lui ressemblait si peu, par Zout ! C'était un vrai bestiard, un…

– Poursuis, Bouzouk ! grogna Bouffe-Bœuf, échauffé par le récit.

Et Ganachon, impatient :

– Lis, cavalier, lis !

Le jeune homme replongea donc dans le grimoire, dont il feuilletait les dernières pages.

Baroud de Morte-Paye lui annonçait leur départ imminent en pays d'Orgon. Sur ordre du Kron, il venait de lever une petite armée pour conquérir des terres et combattre quelques tribus belliqueuses, à la frontière. Naturellement, il emmenait Martial. Ce serait l'ultime chapitre de son éducation, son baptême du feu.

Martial fut enthousiaste. Enfin les grands espaces, enfin la guerre ! Sus à Orgon, ventremort ! Le père serra son fils sur son poitrail, puis ordonna qu'il se vêtît de cuir et d'acier. Il aurait sur le plastron de sa cuirasse le blason des Morte-Paye : un lion terrassant un serpent.

Dans la cour du fort, un cheval harnaché attendait le jeune guerrier. Le dernier souvenir du grimoire était une cavalcade ; Martial chevauchant au flanc de son père, dans un paysage de neige. Derrière eux trottaient quelques rangs de cavaliers, et la horde des soldards, hérissée de piques. Plus loin était la piétaille, poussant bombarbons, chariots, pranquelles.

Il y avait dans les ultimes mots une sensation de toute-puissance ; de même la certitude qu'à la tête d'une telle troupe armée jusqu'aux dents, les seigneurs de Morte-Paye, père et fils, incarnaient la Justice et le Droit.

Cette fois, Bouzouk laissa tomber le grimoire à terre, anéanti par ce qu'il venait de lire. C'était lui, ce bougneluron pressé d'en découdre, de tailler du lard ? Lui, ce pantin en armure parti ferrailler en pays d'Orgon, avec mille autres de sa trempe ? Bouzouk n'arrivait pas à admettre que le grimoire parlât de lui. Et de personne d'autre.

Comme l'avait prédit autrefois Malebasse, le charlatan du glacier de Mange-Morts, sa mémoire ne lui convenait pas ! Par Zout le Crapion ! c'était pis que tout. Et que lui réservait le quatrième grimoire ? Parlerait-il d'un Martial guerroyant, d'un assassin peut-être ? Plût à Gozar qu'il en fût autrement !

Bouzouk sentit que Miloska lui prenait la main et posait sa tête sur son épaule. Il entendit Mille-Mots rire en disant que tout cela était loin, si loin, fils ! Bouffe-Bœuf, Bel-Essaim et Gorge-Vermeille prétendant au contraire qu'une enfance pareille forgeait l'âme et le corps !

Quant à Ganachon, il garda le silence. Il savait, lui, le péril de découvrir un jour qu'on était quelqu'un d'autre. Son cavalier s'en accommoderait peut-être, avec le temps.

Mais pour l'heure, Bouzouk était étourdi, ébranlé. Il se laissa pétrir les mains par Miloska, qui aimait son Bouzouk d'un amour qui enflait comme voile sous le vent. Un amour qui le mettait hors d'atteinte des vilenies passées. Peu lui importait que son promis eût été un guerrier ! Il n'en était plus un. Il était doux et tendre comme un épi d'odiane. Elle le lui murmura à l'oreille, et l'appela Bouzouk, pour qu'il oublie Martial. Il s'apaisa.

Bugle-d'Or vint annoncer que la fête commençait et qu'on les attendait. Dans la cour, des gens dansaient déjà au son des manivielles.

– Ventragigue ! tonna Bouffe-Bœuf, qui languissait d'inviter une certaine oiselle. J'ai envie de tricoter des gambettes ! Viens-tu, Gorge-Vermeille ?

Elle vint avec entrain. Comme vinrent tous les autres. Miloska avait réussi à gommer un peu du chagrin de Bouzouk, qui promit même de faire tinter son gluth.

La nuit allait résonner d'une fieffée bamboche.

Troisième partie

Cul-Jaune

CHAPITRE 1

L'AUBE ÉTAIT PROCHE.

Accoudé à la croisée de sa chambre, Bouzouk observait les corbaillons perchés sur les remparts. Les bestioles étaient grasses comme des ouffes, car les cuisines du palais dégorgeaient chaque soir dix paniers pleins des restes de la veille.

Depuis le retour de sa femme, le Kron s'obstinait fiévreusement à faire de leur vie une suite sans fin de ripailles et de plaisirs. Comme si chaque jour avait été le dernier qu'ils vivaient. Ainsi la cour passait-elle son temps à danser, à boire, à jouer. Le palais bruissait de rires, de musiques, de crépitements, de cavalcades.

Les compagnons de Bouzouk s'en pourléchaient les babines. Jusqu'à la princesse Miloska, sa bien-aimée, qui parfois se mêlait à la fête.

Puis la nuit venait et chacun reprenait haleine pour le lendemain.

Bouzouk excepté, qui se tenait à l'écart. Une seule nuit de bamboche, la première, lui avait suffi. À présent, il rongeait son frein. L'inaction lui pesait comme un collier d'enclumes. Oubliait-on son quatrième grimoire, cette part de lui-même à découvrir ? Voulait-on qu'il ignorât longtemps encore cet épisode de sa vie ?

Fichtrefouche ! cela devait finir ! Il avait soif d'aventures !

Soudain, des ombres surgirent dans la cour sombre. Une dizaine, semblait-il. Le cortège chemina le long des murs, silencieux, comme chaussé de velours. Tous étaient encapuchonnés, et couverts de larges capilles.

C'était une heure propice au mystère. Bouzouk se faufila dans le couloir, intrigué. En passant devant la chambre de Miloska, qui jouxtait la sienne, il envoya un baiser avec ses doigts.

Il repéra les promeneurs au moment où ils atteignaient la chapelle, dont un des lourds vantaux se referma aussitôt. Bouzouk entendit le frottement du verrou qu'on poussait. Ces gens-là faisaient dans le clandestin, à l'évidence. Et cela au beau milieu d'un palais royal gardé nuit et jour. Étrange.

Bouzouk contourna la chapelle et trouva la porte de la sapristie ouverte. Il tendit l'oreille. Silence d'ouate. Priait-on, de l'autre côté ? Il se risqua à tirer un battant de bois, dont les gonds couinèrent. Aucune réaction. Les comploteurs devaient être sourds comme des blouques.

En réalité, la chapelle était déserte. Capuchons et capilles étaient-ils garnis de vent ?

Il y eut soudain un son étouffé, qui lui chatouilla la plante des pieds. Curieux effet acoustique. Il ôta ses bottes ; le carrelage vibra une nouvelle fois sous lui. Pas de doute, on s'agitait au sous-sol. Il chercha et trouva la trappe d'entrée. Un anneau d'acier à tirer et elle bascula, dévoilant un escalier en colimaçon. Sans un poil d'hésitation, Bouzouk s'y engagea, les bottes à la main. Lui parvint le son de tout à l'heure, cette fois sans couvercle : une seule syllabe, chantée en chœur par dix poitrines. Un mot inconnu de lui, sec comme trique.

Puis un cri suraigu lui vrilla l'oreille, un cri insupportable, bondissant de pierre en pierre. En même temps que montait une brusque odeur de sang frais, écœurante, suivi d'un glouglou épais. Bouzouk eut un haut-le-cœur, continua pourtant. Il fallait qu'il vît.

Derrière l'autel se tenaient trois Bbogues au crâne luisant, oreilles taillées en pointes. Le plus grand brandissait un gigantesque coupe-tripes, en hurlant :

– Pisse-pouaque ! Pisse-pouaque !

Les deux autres maintenaient fermement, on s'en doute, un pouaque. L'animal gigotait encore, ses deux gros yeux jaunes déjà vitreux. Comme étonné d'être à pareille fête, le cou fendu et vomissant un sang noirâtre.

Les Bbogues ! Les serviteurs de Ggrok ! À la fois prêtres et sorciers ! Connus pour leur grande magie et leur immense bêtise.

– Pisse-pouaque ! braila encore le sacrificateur.

Puis l'assistance scanda de nouveau la syllabe unique, que Bouzouk reconnut enfin.

– Ggrok ! Ggrok ! Ggrok !

Les sept capuchons tressaillaient en cadence, et le mot sonnait à chaque fois comme un glas sinistre.

– Ggrok ! Ggrok ! Ggrok !

C'étaient autant de coups de bélier dans un mur de bronze. La tête de Bouzouk s'emplissait peu à peu de vagues noires. Qui venaient, refluaient, revenaient.

– Ggrok ! Ggrok ! Ggrok !

Le grand Bbogue leva les bras et le silence se fit. Il était plus que temps. Encore un « Ggrok » et la cervelle du jeune homme se serait muée en sirop de nave. Il décida de lever le camp.

– Tête nue ! grogna quelqu'un. Que Ggrok bigle nos faces de zouailles !

Les capuchons tombèrent l'un après l'autre. Avant de remonter vers la chapelle, Bouzouk reconnut le Kron, qui venait de parler, sa femme et quelques-uns des courtisards. L'élite des Kronouailles ! Bigrecrotte ! la société devenait plutôt malodorante, au palais ! Pour dire vrai, ça empestait fichtrement !

Mais quelle aubaine pour Bouzouk ! Ces damnés Bbogues surgissaient avant même qu'il se mît à les traquer. Parmi leur confrérie se trouvait celui qu'il cherchait : le Bbogue ayant acheté à Mille-Mots le tome IV de ses Mémoires. Le dernier mange-mémoire qu'il pourchassait ! Et ces trois-là, qui venaient de trucider ce pauvre pouaque, allaient mener Bouzouk sur sa piste.

Dire qu'une heure plus tôt, il périssait d'ennui. Par Zout le Blêmard ! l'aventure surgissait au meilleur moment !

Chapitre 2

Bouzouk s'embusqua derrière un bosquet d'organdives et attendit la fin de la cérémonie. Ce qu'il venait de voir ne l'étonnait qu'à demi. Depuis le retour de la Krone parmi les vivants, il manquait une ombre molle chez Ggrok. Nul doute que le Kron tentait de se faire pardonner. Qu'il sacrifiât quelques pouaques au dieu des Marais-Puants allait de soi. Au moins avait-il la délicatesse de faire la cérémonie sous la chapelle, et non à l'intérieur, où il célébrait Gozar à d'autres moments. C'était de la politique et rien d'autre.

Voilà ce que se disait Bouzouk, alors qu'à nouveau les dix ombres rasaient les murs de la cour. Cette fois elles se séparèrent. Sept trottèrent vers les appartements royaux, les trois autres vers une tour. C'est évidemment celles-ci que choisit de suivre Bouzouk.

Avec mille prudences, car les Bbogues étaient connus pour s'évanouir comme des pets de skonjs dès qu'ils sentaient le moindre danger. Naturellement, ils avaient bien d'autres pouvoirs, qu'ils tenaient de Ggrok lui-même. Ganachon, qui semblait bien les connaître, avait depuis longtemps averti Bouzouk ; il fallait s'en

163

méfier. Ses orteils toujours à l'air, le jeune homme était prêt à user de magie. Cette fois sans aucune hésitation. Les créatures de Ggrok ne s'en priveraient pas, elles.

Les trois ombres s'engouffrèrent dans une poterne mangée par des taillis. Elle menait au grand potager du Kron, qu'on ratissait et bêchait à longueur de jour. Les Bbogues suivirent docilement le tracé des allées, entre mollachons et roubarbes, à travers les carrés de bravottes. Bouzouk trottinait silencieusement derrière eux, dans la terre molle.

Il les vit s'approcher d'un puits de pierre, escalader la margelle, et y disparaître. Cela avec le plus grand naturel, comme trois crapodins sautant dans une mare. Il n'y eut aucun plouf, ni le moindre son. Seules quelques traces sur le sol, près du puits, disaient le passage des Bbogues.

Bouzouk se pencha et vit son reflet sombre dans l'eau, quelques coudées plus bas. Pas un pli n'en ridait la surface. Le galet qu'il y jeta y rebondit, *blonk, blonk, blonk*. Bronze ou acier. Il fallait la magie d'un Bbogue pour en franchir le seuil.

Bouzouk se mit à descendre, s'aidant de quelques pierres en saillie. Une fois en bas, peut-être qu'en remuant un orteil ou deux… Il n'en eut pas besoin. Sitôt que son pied buta sur le métal, tout bascula. Aspiré vers le fond, le jeune homme ondoya un court instant, telle une algue, avant d'être craché enfin, et de rouler sur des dalles.

Il se trouvait dans un petit vestibule aux quatre murs de torchis blanc, qui s'ouvraient sur autant de galeries. Quatre entrées rigoureusement identiques, tout aussi silencieuses les unes que les autres, pareillement obscures.

Bouzouk était trop impatient pour suivre le mode d'emploi habituel, c'est-à-dire essayer l'une puis l'autre et ainsi de suite. Avec le chapelet des risques habituels ; fosse avec pieux vifs, pierre basculante, herse, abîme vertigineux, dragon, créature hideuse, lac de lave en fusion. Nenni. Il remua l'orteil, hop ! et se divisa en quatre Bouzouk parfaitement semblables, qui s'enfoncèrent de concert dans les galeries. C'était broutille pour le disciple du Grand Gourougou.

L'important était qu'un seul arrivât sain et sauf au bout des galeries. Chacun étant l'exacte réplique de l'autre, au globule rouge près.

L'un disparut au premier tournant, précipité dans un ravin hérissé de piques, un autre fut écrabouillé peu après son entrée par un plafond broyeur. Un monstrueux goryxx dévora prestement le troisième.

Par chance, le quatrième Bouzouk sortit du labyrinthe sans autre anicroche que la rencontre avec un cinquième Bouzouk, venu d'on ne sait où, et qui s'évapora brusquement. La magie n'est pas une science exacte, loin s'en faut.

Bouzouk soupira de satisfaction. Il venait de déboucher dans un vestiaire où pendaient d'innombrables défroques de Bbogues. C'était là sans doute que passaient les prêtres après leurs excursions dans le monde du dehors.

Des bruits d'eau et des rires arrivaient par bouffées, d'une autre pièce. S'avançant prudemment, Bouzouk les vit, qui se baignaient dans un bassin rempli d'une eau couleur d'opaze. Ils s'aspergeaient mutuellement, se poussaient, plongeaient, faisaient des cabrioles. Enfin ils sortirent à la queue leu leu, nus comme des lombriquons, avec des gloussements de dindaille. Leur peau avait pris une vilaine couleur jaunâtre. Ils enfilèrent des aubes grises à large capuchon et disparurent par une porte basse. Toujours pouffant, toujours bruyants. Puis le silence se fit.

Lorsqu'ils n'égorgeaient pas de pouaques, les Bbogues semblaient être de joyeux lurons, songea Bouzouk. À son passage, l'eau du bassin s'agita et se mit à bouillonner furieusement. Bouzouk endossa une aube grise et fila vers la porte, en serrant les fesses plus que de raison.

Le passage donnait sur le cloître du temple, aux lourdes arcades. Il se mêla aux grappes de Bbogues encapuchonnés arpentant le promenoir. Rien ne ressemblait plus à un encapuchonné qu'un autre encapuchonné.

Sinon qu'une voix énorme se mit à vociférer :

– Ça pue le pouaque, ici !

Et que cent autres entonnèrent :

– Pue-pouaque ! Pue-pouaque ! Pue-pouaque !

L'eau d'opaze devait servir à ôter sur la peau des Bbogues les effluves du dehors. Comme celles du sang d'un pouaque égorgé. Par Zout le Goitreux ! Bouzouk était fait comme un pou ! Pis qu'un pou ! Un pouaque !

Chapitre 3

L E Grand Gourougou eût été fier de son élève s'il l'avait vu. À cent contre un, la partie paraissait perdue d'avance. Mais Bouzouk avait les orteils en grande forme et répondit œil pour œil aux assauts des Bbogues. Ainsi dressa-t-il une digue quand roula sur lui un fleuve de venin vomi par cent bouches ! Ainsi brandit-il un bouclier de fleurs carnivores lorsque les Bbogues firent naître mille essaims de grelons ! Ainsi s'habilla-t-il de bronze pour stopper le flot d'épines d'une armée de chardons.

Mais il ne se contentait pas de parer les attaques, il ripostait ! Ce fut lui qui fit tomber sur les Bbogues une averse de gluaces qui en colla plus d'un par terre. Lui encore qui les bombarda de mots compliqués, de savants raisonnements, toutes sortes de choses auxquelles les Bbogues d'ordinaire n'entendaient rien, bêtasses qu'ils étaient.

Jamais Bouzouk n'avait tant usé de magie.

En face, on finit par mollir et on cessa le feu. L'adversaire est coriace, pensait-on de part et d'autre, temporisons. Alors, entre ennemis raisonnables, on engagea la conversation. Si l'on peut dire puisque, les Bbogues ayant un vocabulaire plutôt restreint, un personnage invisible parlait à leur place.

– Dis-nous ce que tu fais ici, dit la voix énorme.

– Je cherche un Bbogue possédant un grimoire, répondit Bouzouk. *Mon* grimoire !

Hilarité générale. Un grimoire ! Mais qui donc lisait, au temple ? Qui donc savait lire, même ? Bouzouk se trompait d'adresse et de loin. Ici, les seules lettres qu'on connaissait étaient au nombre de cinq : G-g-r-o-k.

Bouzouk expliqua en quoi le grimoire n'était pas un grimoire ordinaire – ajoutant que même un crâne-creux de Bbogue pouvait s'en garnir la tête. Naturellement, il dit cela plus courtoisement, pour ne froisser personne.

Il y eut un brouhaha chez les Bbogues, que la voix tonnante fit cesser d'un mot, avant d'ajouter :

– Les souvenirs sont comme les désirs : des fientes de pouaque. Ils alourdissent l'existence. Ici, au temple, nous chassons les uns et les autres de notre esprit.

Le dernier mot fit sourire Bouzouk malgré lui. La voix se mit à tonner :

– Ce que tu prends pour de la bêtise est de l'harmonie ! De la sérénité !

Un lourd silence pesa sur les têtes de l'assemblée, puis la voix reprit :

– Un Bbogue a fui le temple voilà quelques lunes. Peut-être est-ce celui que tu cherches. Nous le traquons aussi, ce pouaquon ! Mais il se terre !

– Son nom ? cria presque Bouzouk.

– Les Bbogues n'en ont pas. À quoi bon, puisqu'ils se ressemblent tous ?

– Sais-tu quelle route il a prise ?

– Si je le savais, innocent, je l'aurais déjà rejoint et tranchaillé. Les Bbogues appartiennent à Ggrok !

Les capuchons s'agitèrent et se mirent à marteler :

– Ggrok ! Ggrok ! Ggrok !

– Décris-le-moi ! hurla Bouzouk pour couvrir le vacarme. Est-il grand ? A-t-il un nez en forme de fougasse ? Bégaye-t-il ? Réponds !

Il y eut un immense éclat de rire, qui claqua comme une salve de coups de canon. Le dialogue était terminé. Car aux autres questions de Bouzouk répondit seul le blabla des Bbogues, qui était une bouillie de mots sans queue ni tête. On reconduisit l'étranger jusqu'à l'entrée du puits, dont il sortit sans trop savoir comment. Magie de Bbogue, probablement.

Le jeune homme était déçu, très déçu par la tournure des événements.

Certes, il ramenait une piste, mais si vague. Il y avait quelque part un Bbogue sans nom enfui du temple de Ggrok. Pas de quoi pavoiser. Aussi, lorsqu'il croisa Ganachon dans la cour du palais, les yeux confits de sommeil, ne lui raconta-t-il l'affaire que du bout des lèvres. Le cheval eut néanmoins l'air intéressé.

– La margelle du puits, dis-tu ? Conduis-moi là-bas !

Bouzouk enfourcha Ganachon et, en quelques secondes, ils étaient devant l'ouvrage. Ganachon s'y pencha, y cracha plusieurs fois. Cela fit des ronds dans l'eau.

– Bigrecul de bigrin de bigre de pupe ! jura-t-il entre ses dents, tandis que Bouzouk essayait, en vain, de remuer l'orteil.

– Inutile, cavalier. Puits, grotte, caveau, crypte, peu importe : les Bbogues n'utilisent qu'une fois les chemins qui mènent à leur temple souterrain. Ta magie n'y pourra rien.

Le puits était redevenu un puits ordinaire, profond et frais.

– Pourtant, dit Bouzouk, j'ai réussi à passer tout à l'heure.

Ganachon soupira.

– Tes trois Bbogues devaient être de fameux coquouillons pour oublier de fermer le passage. Tu en as profité, voilà tout. Un instant j'ai espéré que l'accès fût encore ouvert, mais il a dû leur venir du plomb dans la tête.

Ils revinrent sur leurs pas, mine basse. Curieusement, c'était Ganachon qui semblait le plus dépité. Bouzouk n'en comprenait d'ailleurs pas la raison. Qu'y avait-il à glaner chez les Bbogues puisque le grimoire n'y était pas ?

La cavalcade avait fait sonner les pavés de la cour et le palais commençait à s'éveiller. Bouffe-Bœuf apparut à une fenêtre, hirsute, bientôt suivi par Gorge-Vermeille, qui s'appuyait sur lui.

– Par Gozar, où étais-tu, pistounet ? Ta Miloska te cherche partout et emplit les couloirs de ses cris d'oiselle.

D'autres croisées s'ouvrirent, où surgirent Bel-Essaim, Mille-Mots, les yeux pleins d'inquiétude et de reproches. « Par Zout ! grommelait Bouzouk, suis-je donc un marmotin que tous m'encollent ainsi le derche ? »

Il cessa car sa princesse accourait vers lui, pâle, défaite. Il la reçut dans ses deux bras ouverts, sur le rude tissu de l'aube grise, qu'il avait gardée. Elle sanglotait.

– Quelqu'un t'a manqué de respect, ma douce ? Tu souffres ? On te fait du mal ? balbutia Bouzouk.

Miloska happa l'air par trois fois, avant de hoqueter :

– Un cauchemar m'a réveillée, Bouzouk. Terrible ! Tu marchais dans la foule des soldards avec une figure d'assassin, tes habits étaient noirs et sanglants.

Le jeune homme la serra plus encore, en cachant son propre émoi.

– Tu as trop bu d'aromelle, hier soir, dit-il. La tête te toupille encore.

Elle le regarda enfin et, le voyant sourire, lui sourit. Il murmura « Làààààààà... », puis « Allons, ce n'est rien... », parce qu'il ne savait vraiment, vraiment pas quoi dire.

Ce cauchemar-là, il l'avait fait lui-même la nuit précédente, et encore la nuit d'avant.

Chapitre 4

La matinée fut chagrine, chez Bouzouk et ses compagnons. Chacun paraissant s'éveiller d'un mauvais songe, et se demander ce qu'il faisait là, à bibonner et bouffailler à la table du Kron. Bel-Essaim et Gorge-Vermeille renvoyèrent l'escouade de frisotteurs venus de bon matin leur tresser les cheveux, Bouffe-Bœuf mangea peu. Même Mille-Mots se sentait l'âme vagabonde, lui qui aimait tant paresser. Aussi, lorsque Bouzouk leur parla du Bbogue disparu, chacun se mit en quête de ses bagages.

Voilà des lunes et des lunes qu'on pourchassait le passé du jeune homme, et il fallait conclure. Les trois premiers grimoires avaient apporté leur lot de souvenirs, mais il manquait le dernier pan. Peut-être le plus précieux. Rien n'était plus important que de récupérer l'ultime grimoire. Que cette quête s'achevât, par Gozar ! Tous le dirent avec force, ce qui réconforta Bouzouk. Miloska lui susurrant néanmoins, dans le creux de l'oreille, qu'elle se contenterait fort bien d'un promis inachevé.

On annonça au Kron qu'on s'en allait, qu'on reviendrait à l'occasion. Le Kron protesta bien un peu, pour la forme, mais il vit d'un bon œil sa table se vider de quelques trop solides appétits. Il remercia les compagnons, souhaita bon voyage. La Krone itou.

Le seul à regretter leur départ fut Bugle-d'Or, le chambellan du Kron. Le vieil homme les embrassa et eut pour Bouzouk des mots affectueux. Il leur offrit un élégant cochard, tiré par deux cavalons. Hormis Bouzouk chevauchant Ganachon, les autres s'y installèrent et l'attelage s'ébroua sur les pavés de la cour, Gorge-Vermeille à la manœuvre.

Il y eut une haie maigrelette de courtisards agitant leur mouchoir, un roulement de tambour, et tout fut dit.

Après avoir franchi les innombrables ponts-levis et le grand portail, l'équipage fit route au sud, vers le bois d'Orman. Ils s'arrêtèrent dans une clairière, pour tenir conciliabule, car pas un n'avait la moindre idée de la direction à suivre. Ce fichu Bbogue évaporé pouvait être n'importe où, et même ailleurs.

– Nommons-le, dit Bouzouk. Traquer un fuyard anonyme est désespérant.

Et chacun de réfléchir. De proposer Perce-Pouaque, Cul-Jaune, Tête-Creuse ou Bec-à-Goutre. On vota, et Cul-Jaune l'emporta haut la main.

Voilà. On savait qui on cherchait, à défaut de savoir où. Bouffe-Bœuf eut beau répéter plusieurs fois : « Il est forcément quelque part », on n'était pas plus avancés.

Où donc se nichait ce crapion de Cul-Jaune ? Existait-il seulement, ou n'était-ce qu'un leurre inventé par la voix énorme du temple ? Ces quelques questions, plus mille autres qu'on se posa, firent qu'on s'agita dans la clairière jusqu'à la tombée du jour. Sans trouver le moindre petit bout de réponse. Puis, au moment où les yeux se plombaient de fatigue, Ganachon dit :

– Je sais comment le trouver.

Attrapant un sac, il s'enfonça dans les fourrés, suivi par la compagnie. Un peu étonnée, car on pensait avoir une longue route à faire avant d'attraper Cul-Jaune ; et voilà que Ganachon s'arrêtait devant le premier terrier de pouaque venu, voilà qu'il frappait trois fois le sol de ses sabots.

Surgit un pouaque, aux gros yeux jaunes pleins de curiosité. Ganachon n'eut aucune peine à l'enfourner dans son sac. Les pouaques étaient les êtres les plus naïfs qui fussent. Ils se laissaient attraper par n'importe qui, même par les Bbogues, qui les sacrifiaient par centaines à Ggrok. Mais si un pouaque solitaire était inoffensif, tout changeait lorsqu'il était en meute. Alors il devenait un traque-proie redoutable, capable de repérer n'importe quel gibier, où qu'il fût.

C'est ce que Ganachon expliqua à ses compagnons, tout en capturant l'un après l'autre une dizaine de pouaques.

– As-tu encore l'aube grise rapportée du temple, cavalier ?

Bouzouk l'avait. Ganachon fit renifler longuement l'étoffe aux pouaques. S'il y avait du Bbogue dans le coin, ils auraient tôt fait de le flairer. On lia les pouaques entre eux par des courroies et Bouffe-Bœuf fut chargé de les mener.

– Traque ! ordonna le Bougre, comme s'il avait fait ça toute sa vie. Traque-Bbogue !

Le cri fit bondir la meute et tous suivirent son train ; Bouzouk sur Ganachon, les autres dans le cochard.

Bouffe-Bœuf conduisait l'attelage de main de maître, hurlant « Allez, mes pouaques ! Allez ! » d'une voix de maréchon. L'équipée avait fière allure. Cul-Jaune n'avait qu'à bien se tenir. On finirait par le trouver, fût-il à l'autre bout des Kronouailles ou en Assussie ! La quête serait longue, mais tous y étaient prêts.

Il fut décidé qu'on arpenterait le pays la nuit, car les Bbogues, craignant la lumière, ne sortaient qu'à la tombée du jour.

Ils trottèrent ainsi dans les presque-ténèbres, au cœur du bois d'Orman. Peu. Le temps pour les étoiles d'apparaître çà et là. Soudain la meute s'arrêta au pied d'un éboulis surplombé d'une falaise. D'abord les pouaques se mirent à couiner, à griffer les pierres. Puis leur excitation tomba d'un coup. Les dix têtes aux gros yeux jaunes fixèrent le haut de la paroi blanchâtre, et ne bougèrent plus. La mine terrorisée. Il y avait du Cul-Jaune là-dessous. Bouffe-Bœuf se tourna vers Bouzouk.

– L'oiselart est là-haut, fiston.

Pour lui, cela ne souffrait aucun doute ; ni pour Ganachon, qui hocha la tête d'un air entendu. Bouzouk, ébaubi, songea que jamais une longue traque n'avait été si courte. Mais fallait-il s'en plaindre ? Gozar était de leur côté et hâtait les choses, voilà tout. Il serra le bras de Miloska, sourit aux autres.

– J'agrimpe seul. Cul-Jaune est à moi, s'il s'agit bien de lui.

– Les pouaques ne se trompent jamais, dit Ganachon. Mais gare à la magie du Bbogue, cavalier. Elle est terrible, crois-moi.

Bouzouk le croyait sans peine, tant le cheval semblait inquiet.

– J'ai la mienne, et j'en userai, je le jure.

Il se mit à gravir la paroi de craie. Les saillies étaient nombreuses, et les racines, et les creux. Il montait sans effort, avec l'ardeur de ceux qui espèrent. Il ne voyait rien que le blanc de la roche sous ses doigts et, de temps en temps, le ciel étoilé au-dessus de lui.

Puis tout disparut. Sa bouche, ses narines s'emplirent soudain de craie, et il fut aspiré par la falaise.

Chapitre 5

Si les pouaques s'étaient arrêtés au pied de l'éboulis, s'ils s'étaient couchés comme des gisants de marbre, c'est qu'ils avaient compris à qui ils avaient affaire. Cul-Jaune n'était pas simplement perché en haut de la falaise, il *était* la falaise. Les saillies et les creux, les racines qu'avait saisies Bouzouk, tout était du Bbogue de pied en cap. Se changer en roche, terre ou végétal était monnaie courante chez les sorciers de cet acabit.

Cul-Jaune venait d'avaler son poursuivant de sa gueule crayeuse, *slouafff*, comme on gobe un chiardon. À présent, il allait s'employer à le digérer, en commençant par pétrifier les chairs et durcir les humeurs. Dans sa gangue calcaire, Bouzouk deviendrait un merveilleux fossile, qu'on admirerait dans trois millions d'années au flanc de la falaise, lorsque l'érosion l'aurait mis à nu.

Voire.

La magie du Bbogue était puissante. Cependant, Cul-Jaune ignorait qui était son adversaire. Non point un simple freu, mais un Petit Gourougou, brillant disciple du Grand Gourougou.

Malgré la craie qui commençait à lui emplir le corps, Bouzouk réussit à remuer l'orteil et hop ! orna son crâne d'une vrille d'os qui transperça la roche. Il jaillit dans la nuit, au faîte de la falaise, la tête en feu. Il tituba un instant, ivre comme une toupie.

– Pue-pouaque ! grogna une voix rauque.

Bouzouk se raidit, les orteils en alerte. À quelques pas, immobile, se tenait une silhouette informe, encapuchonnée. Cul-Jaune ! De nouveau lui-même.

– Pue-pouaque, pue ! Pue ! cracha le capuchon.

Les Bbogues avaient décidément un langage plus que limité. Sans doute leurs pouvoirs de sorciers suffisaient-ils à leur conversation. Cul-Jaune le démontra, en vomissant sur son adversaire un flot de langottins qui s'enroulèrent autour des jambes, des bras, du cou de Bouzouk.

Fanfreluche pour un Petit Gourougou ! Non seulement il pulvérisa les rubans visqueux qui l'enlaçaient, mais, de leurs miettes, il fit un essaim de glaviottes. D'un geste rageur, il le lança sur l'autre.

Terrible riposte, même pour un Bbogue ! Cul-Jaune disparut dans un bouillonnement féroce. Pour réapparaître instantanément à une hauteur de dix coudées, et faire tomber sur Bouzouk une pluie d'hallebarques en hurlant : « Pique-pouaque ! Pique-pouaque ! »

Bouzouk fut surpris par l'attaque, para difficilement. Une hallebarque manqua de peu lui trancher l'oreille. Déséquilibré, il tomba au sol. Cul-Jaune fusa dans l'air en hurlant, prêt à donner l'estocade.

Bouzouk était racuit, bigrecru ! Sa magie de Petit Gourougou battue en brèche par celle du Bbogue. Dans une seconde, il allait devenir graisse d'ouffe, fiente de gnour ou pis encore. Cul-Jaune, dressé au-dessus de lui, agitait frénétiquement ses mains avec un rire atroce.

Pour ce qui s'ensuivit, Bouzouk crut qu'il rêvait. La terre se mit à vibrer, en grondant de plus en plus fort, et tout trembla ; la colline, les arbres, l'air, la nuit et ses étoiles. Cul-Jaune lui-même vacilla, tomba à genoux, tandis qu'une voix énorme tonnait :

– À plat ventre, chiure de frouille ! Rampe devant ton chef !

Et Cul-Jaune de s'aplatir, de se tortiller en demandant pardon. Puis il y eut un craquement sinistre, un éclair, et l'aube du Bbogue s'embrasa. Torche humaine qui tournoya sur elle-même, avec des hurlements effroyables. Comment Cul-Jaune trouva-t-il la ressource de se relever et de s'enfuir dans les ténèbres, rongé de flammes ? Pourtant il le fit, sous l'œil incrédule de Bouzouk, que la scène avait cloué sur place.

– Le grondin n'ira pas loin ! Son ombre brûle déjà !

Bouzouk avait reconnu la voix. C'était celle du temple. Il vit surgir des taillis une aube grise. La voix avait donc un corps. Quoique, à bien regarder, l'aube flottait étrangement, comme si elle était vide. Le capuchon s'ouvrait sur un trou noir.

– Je te suis depuis ton départ du palais. Certain que tu me mènerais au Bbogue. Les pouaques étaient une bonne idée.

La voix se faisait presque amicale.

– Qui es-tu ? grogna Bouzouk, sur ses gardes.

– Ggrok m'appelle Mmalvil, mais j'ai mille autres noms.

Bouzouk se leva avec effort, la tête chamboulée. Il venait d'échapper de peu au Grand Voyage. Devoir la vie à un Bbogue lui déplaisait.

Mmalvil lut-il dans ses pensées ?

– Tu as tort de te méfier, dit-il. Avoir un gibier commun nous lie, toi et moi.

– Je ne chasse pas le Bbogue, mais un grimoire.

L'aube grise se tourna vers les taillis, qui remuaient grandement.

– Je te laisse avec ton ramassis de pousse-pouaques ! J'ai un Bbogue à traquer.

La voix énorme tonitruait de nouveau, trouant la nuit.

– Use bien de ton passé, innocent ! Si tu le retrouves !

Le nommé Mmalvil avait disparu lorsque Ganachon déboucha d'un buisson, un rien plus tard, les yeux fous.

– Où est-il ?

– Cul-Jaune ? En feu, quelque part dans…

– Je parle de Celui Qui Tonne ! Où est-il ? hurla Ganachon.

Bouzouk fit un geste vague, montrant les ténèbres. Le cheval poussa un hennissement aigu et s'évanouit à son tour dans l'obscurité.

C'était à n'y rien comprendre. Ganachon semblait se moquer de ce qui venait d'arriver à son cavalier. Cette nuit tourneboulait les esprits, fichtrefiche !

Heureusement, les taillis s'agitèrent de nouveau et la compagnie vint consoler le héros, Miloska en tête. Comme Ganachon, ils avaient contourné la falaise par une sente escarpée.

Bouzouk fit celui qui revenait de loin, ce qui était vrai, et goûta les bras de sa promise. Miloska avait le cœur palpitant. Elle lui murmura de jolis mots d'amour, se pressa contre lui. Le tout avec retenue car Bel-Essaim était à ses côtés, tout aussi énamourée et folle d'angoisse.

Gorge-Vermeille battait déjà les buissons d'un gros gourdin, et Mille-Mots hurlait des insultes ronflantes à tous les Cul-Jaune passés, présents et à venir.

– Les pouaques ont niflé une piste, garçon ! beugla Bouffe-Bœuf.

Le Bougre, qui suivait avec la meute, partit droit vers un bosquet de fourmilles, Gorge-Vermeille à ses basques. Bouzouk s'arracha aux bras de sa princesse, cria qu'il arrivait. Derrière les fourmilles s'ouvrait une grotte, où luisaient encore les braises d'un feu.

– L'antre de Cul-Jaune ! C'est là qu'il nichait !

Autour du foyer il y avait quelques objets informes, un lit de feuilles sèches, une besace roulée dans un coin. Le logis sommaire du parfait fugitif.

Bouzouk ouvrit le sac, le secoua au-dessus du sol. Il ne tomba rien d'autre qu'un grimoire.

Chapitre 6

Bouzouk ne cria pas, ne s'effondra pas de stupeur, ni de joie, non. D'abord il resta de marbre, comme si son esprit refusait de voir ce que ses yeux lui montraient. Puis, sous le regard attendri de ses compagnons, il s'accroupit. Au dos du livre luisaient quatre mots, *Martial de Morte-Paye*, et le chiffre *IV*.

– Fils, tu es le plus pisseux des pisse-joie ! gloussa Mille-Mots.

Bouzouk prit enfin le grimoire, tiède de la chaleur du feu. Ses dix doigts le pétrirent, il ferma les yeux, soupira. Inquiet tout autant qu'heureux. Quelle sorte de passé le grimoire allait-il révéler ?

– Par Amadou ! brama Gorge-Vermeille. Vas-tu te mettre à le couver, maintenant ?

Ils étaient tous en rond, à le dévorer des yeux, à attendre qu'il lût. Sauf Miloska, qui seule comprenait combien Bouzouk espérait et redoutait à la fois.

Un galop résonna derrière eux. Ganachon revenait, de fort méchante humeur. Ce que le jeune homme tenait entre ses mains le fit changer de figure :

– Te voilà au grand complet, cavalier. As-tu lu, déjà ?

Alors Bouzouk ouvrit le grimoire, tandis que chacun retenait son souffle. C'était la quatrième fois que pareille scène arrivait. Presque un rite, désormais. La voix de Bouzouk, étranglée, hésitante, allait dérouler la spirale du temps passé. Ils écouteraient des mots leur dire l'odyssée d'un compagnon, leur ami, leur doux amour. Il semblait que la quête s'achevait ici, dans cette grotte sombre où scintillaient des braises encore chaudes.

– Je me souviens que tu partais au pays d'Orgon, dit Bouffe-Bœuf, le seul à ne pas voir la peur s'emparer du jeune homme.

Bouzouk lut donc.

Cela débutait en effet par la campagne d'Orgon, avec deux Morte-Paye, le fils, le père, à la tête d'une troupe nombreuse. Le Kron désirait qu'on pacifiât la frontière à l'est, où quelques freux s'agitaient, disait-on. Et, tant qu'à faire, qu'on agrandît le royaume à coups d'épée. Pour Martial qui rêvait d'en découdre, c'était fouasse bénite ; pour Baroud, l'occasion de déniaiser son fils. Ils chevauchèrent jusqu'en Orgon sans cesser de s'échauffer les sangs, tous, piétaille, soldards et capitaines. Une fois là-bas, l'affaire fut vite conclue. L'ennemi était de paille. Des guenillons, quelques glébeux. Rien de militaire : des gens qui avaient faim et qui montraient des dents. On balaya leur cohue d'une charge féroce, on les piétina. Martial connut l'odeur de la poudre, les cris des fugitifs. À peine donna-t-il quelques coups de-ci de-là, mais le peu qu'il fit lui procura plaisir. Après le bref combat, les dents crissant de poussière, il dit à son père que la guerre avait bon goût. Baroud de Morte-Paye savoura son triomphe.

Ils poussèrent leur avantage plus loin, jusqu'à la Garuve, fleuve partageant le pays d'Orgon en son milieu. Là, ils bataillèrent contre quelques hordes de Mataffes, des pêcheurs de frétilles, qui défendaient leurs barques et leurs nasses. Bombardons contre arcs et harpons. Martial n'eut même pas à lever la pique, ni Baroud, ni le moindre capitaine. Ils virent la bataille d'une hauteur, à la lorgnebigle, comme des maréchons se régalant d'une parade.

Bouzouk cessa sa lecture, le cœur vaguement apaisé. Il avait craint le pire. Pour l'instant, c'était convenable. Martial était un Morte-Paye, sans plus.

– Mais quelle allure, mon cher ! railla Gorge-Vermeille. Gourdiner le freu est un art !

On rit. Miloska se contenta de presser tendrement la main du jeune homme. Elle attendait le reste. Comme Mille-Mots, qui menaça de lire lui-même la suite, si Bouzouk lambinait davantage.

La suite, ce fut une courte halte dans les collines d'Uu, où l'armée se reposa. Un messager du Kron les y rejoignit. Ordre était donné à Morte-Paye de rallier le Médiome, au sud. Sur l'heure, disait le parchemin royal.

Le Médiome était peuplé de ruchasseurs, d'orpaillons et surtout d'oliviers. Un pays laborieux, paisible, ami de ses voisins. Le Kron désirant garnir d'olivres ses garde-manger, il avait ordonné qu'on y allât remplir ses jarres. Mais sans débourser un seul ducon. Pour cela, il fallait faire la guerre.

Morte-Paye la fit, avec ses capitaines, son armée et son fils. Elle fut courte, mais violente. Contre toute attente, les oliviers, prévenus, firent appel à des mercenaires. Des sanglants, des terribles, venus des montagnes d'Orgon. Cette fois, Martial ne se contenta pas de gourdiner les derches. Finies les échauffourres de freluquons. La guerre était devenue sérieuse. Il combattit l'homme vêtu de ferraille, l'homme armé de pique, d'arbatelle. L'homme que l'on tue avant qu'il ne vous tue.

Car Martial tua pour la première fois.

Le souvenir était terrible et fit qu'il s'arrêta. Le grimoire tomba sur ses genoux.

– Lis, Bouzouk ! gronda Bouffe-Bœuf. À la guerre, la mort est l'ordinaire ! Lis donc !

Bouzouk lut encore. Le souvenir du grimoire était fulgurant, aussi tranchant que l'épée qui sifflait. Aussi fatal que la lame de Martial plantée en plein cœur. Le bruit sourd que fit l'homme en chutant résonna dans son crâne, à cet instant-là. Bouzouk s'étonna même de ne pas voir de corps recroquevillé à ses pieds, tout ensanglanté. Là, dans la grotte.

L'image de l'homme était tout aussi précise. C'était un montagnard d'Orgon, presque aussi haut que large, un de ces mercenaires se louant à qui voulait, contre une poignée de chuut ou de picaille. Sa tignasse rouge fit une drôle de tache sur l'herbe, comme celle du sang qui coula de sa plaie.

Rien ne disait l'horreur de Martial à voir tomber cet homme, au contraire. Restait le plaisir sanguinaire, la puissance qui roule dans les veines une fois le coup mortel donné. Vertige d'être en vie quand l'autre n'est plus.

Ce grimoire lui brûlait les doigts. Par Gozar ! comme il aurait aimé ne plus savoir lire. Ou bien perdre ses yeux…

CHAPITRE 7

T ON PASSÉ T'APPARTIENT, FILS.

— Mille-Mots disait ce que tous pensaient. Que Bouzouk n'était pas tenu de livrer sa mémoire, que chacun avait ses secrets, que…

– Je sais cela ! coupa Bouzouk. Mais j'irai jusqu'au bout. C'est à moi plus qu'à vous que je parle.

Il pensait que rien ne pouvait être pire que ce qu'il avait déjà lu. Il se trompait.

La campagne du Médiome dura toute une lune. Morte-Paye et son armée finirent par bousculer les mercenaires, au prix d'un monceau de cadavres. Bouzouk en eut sa part, comme les autres. Il eut même l'honneur de commander l'ultime charge, une de ces effarantes galopades au-devant de la mort. La guerre fut gagnée et le Kron, du fond de son palais, prit goût à la victoire. Et, tandis que mille charrois remplis d'olivres cheminaient vers les Kronouailles, ordre fut donné à l'armée d'aller plus au sud, au pays d'Atlasse. D'y exiger des tributs en échange de la protection royale ; ou de piller, violer, torturer, massacrer, brûler si l'on ne se soumettait pas.

Il ne fallut que quelques jours à Morte-Paye pour atteindre son but. Mais des jours d'une féroce barbarie, qui formaient dans le grimoire un fatras d'incendies et de carnages. L'horreur chaque jour recommencée. Une vie de guerre ordinaire, aurait pu dire Bouffe-Bœuf. Mais le Bougre se taisait, épouvanté lui-même par cette furie sans nom.

Le cauchemar de Miloska, qui montrait Bouzouk marchant parmi les assassins, prenait sens.

Dans la grotte, les mots crépitaient, l'un derrière l'autre, racontant la guerre et le malheur qu'elle porte. Bouzouk ne faiblissait pas, qui lisait encore et encore, et avait l'impression de s'enfoncer dans une boue immonde. Miloska, serrée contre lui, l'entourait de ses bras, pourtant, de toutes ses forces. Sans elle, il serait déjà tombé. Elle le soutenait, comme ses autres amis, et peut-être un peu mieux.

Mais il y eut pire.

Sans nul doute, l'âme de Martial s'enivrait de batailles, de conquêtes. Le tumulte était dans ses veines, et la rage de combattre. Alors qu'il chevauchait tristement à l'arrière-garde, de retour d'Atlasse, il croisa une troupe venant de l'est. Des mercenaires, menés par un moine défroqué, un nommé Grand-Clerc. Il s'entretint un court instant avec lui. Peu lui importait la solde, pourvu qu'il usât de son épée. Plutôt déserteur que désœuvré ! voilà ce qu'il pensait. La troupe allait en Assussie, où le pouvoir, vacillant, était à prendre. Il partit avec eux sur-le-champ.

L'Assussie ! Le mot claqua dans la grotte et fouetta la compagnie. Bouzouk cessa de lire, stupéfait. C'est Miloska, de plus en plus pâle, qui le pressa de poursuivre.

Les mercenaires n'eurent pas à combattre longtemps les soldards d'Assussie, peu nombreux, vite débordés. Mieux : les glébeux du pays se mirent de la partie. Pauvres parmi les plus pauvres, haineux contre ceux qui les gouvernaient, ils prirent Grand-Clerc pour un libérateur, et l'épaulèrent. Aubaine pour l'envahisseur ! L'ancien moine les lança vers le château du roi Zsabor, le père de Miloska.

La gorge de Bouzouk laissait maintenant à peine siffler les mots.

– Continue ! hurla Miloska. Va !

La troupe des glébeux déferla sur le château, hérissée de piques, de gourdins, mais aussi de bombardons et de pranquelles, fournis secrètement par un marquisard de la cour. En tête des rebelles, vêtu de haillons pour se confondre avec les autres, Martial. Impatient de connaître les doux frissons d'un carnage facile.

Car les glébeux étripaient à tour de bras. Et si Martial se contenta d'exhorter la horde, c'est devant lui que Zsabor et Guelaivre, la reine, furent massacrés. Il n'eut pas un geste pour les défendre. Leurs têtes devaient tomber, voilà tout.

– C'était toi ! hurla Miloska. Toi, ce jour-là !

Elle s'était reculée d'un bond, livide, chancelante. Puis elle revint vers Bouzouk, lui agrippa le bras. Ils tremblaient l'un et l'autre.

– Je ne te crois pas ! Pourquoi mens-tu, pourquoi ?

Bouzouk ne répondit pas. Le grimoire était implacable. Comme ce passé qui le rattrapait. Miloska s'effondra à genoux.

– J'étais cloîtrée dans ma chambre. Je n'ai rien vu. Rien, tu m'entends ?

Voulait-elle l'absoudre, en disant cela ? C'était trop tard et tous deux le savaient.

– C'était moi, répéta Bouzouk. Moi, et personne d'autre.

Alors Miloska s'arracha du sol, les yeux brillant comme deux braises ardentes, et s'enfonça dans la nuit. Les autres restèrent sans voix. Aucun n'osait regarder Bouzouk. Même Bel-Essaim se cachait derrière ses cheveux.

Réprimant une furieuse envie de vomir, le jeune homme sortit de la grotte, le grimoire à la main. Tous le suivirent, inquiets, car le vide n'était pas loin. Qui sait ce qui trottait dans sa cervelle ? Avoir été un témoin complaisant du meurtre des parents de sa belle, bigremort ! c'était plus qu'il n'en fallait pour que la tête lui brûlât !

Bouzouk avança jusqu'au ravin.

– Ne fais pas ça ! brailla Bel-Essaim, et Ganachon se mit en travers de sa route.

– Ne crains rien, mon ami, dit Bouzouk.

Il contourna le cheval et, parvenu au bord du gouffre, balança le grimoire. Il y eut un bruit d'ailes battantes, comme si l'ouvrage s'envolait. Quelques pierres crépitèrent le long de la paroi. Bouzouk se tourna vers Ganachon et les autres, toujours muets, qui faisaient cercle autour de lui.

– Je laisse au vent, s'il le veut, le soin de terminer la lecture du grimoire. À présent, laissez-moi.

Pas un ne s'écartant, il dut les pousser de l'épaule. Sans un adieu, il partit à travers les fourmilles. De sorte que ses amis ne virent pas sa figure grésillante de pleurs.

Quatrième partie
Au fond de l'abîme

CHAPITRE 1

L A BARQUEROLLE FENDAIT LE FLEUVE PRESQUE EN SON milieu, la voile gonflée par un fort vent d'est. Avirons dressés, le bateau filait droit.

C'était grande aubaine pour l'équipage, d'ordinaire suant et souquant. Chacun était à son poste, mais pouvait cancaner ou jouer à la zonzotte. Pprûut, le dieu des bourrasques, était dans un bon jour.

– Astoppe la souque, roucrin ! grogna Beurk le Mok d'un ton agacé.

Autant arrêter une meute de Bbroins ! Ce maigrelet qui ramait à ses côtés devait être sourd, bigrepot ! Il tirait son aviron à pleine poignée, en poussant chaque fois un cri rageur.

– Hé, freluquin ! As-tu les esgourdailles plombées ?

À peine les lèvres du marin venaient-elles de se clore qu'elles s'ouvrirent de nouveau, cette fois-ci pissant le sang. Il roula sur le plancher, assommé.

– Qui d'autre veut m'ôter le goût de la souque ? lança Bouzouk en ramant de plus belle.

Personne ne releva, capitaine compris. On ne contrarie pas quelqu'un capable d'abattre d'un seul coup un colosse tel que Beurk le Mok. On laissa le jeune homme tirer et pousser son aviron dans le vide. Libre à lui de brasser l'air si bon lui chantait. D'ailleurs, il prenait soin de ne pas toucher l'eau, afin de ne pas déséquilibrer la course de la barquerolle. Il souquait, voilà. Que Pprûut soufflât ou non.

Il souquait pour ne pas penser. On sait qu'il avait ses raisons.

À la poupe, serrant le gouvernail, le capitaine Boute-Bac était en alerte. Avec la cargaison qu'il convoyait, il fallait bien. Les soutes regorgeaient d'aguiche, flambre, hupette, des parfums rares glanés au fil du voyage. Un trésor qui pouvait en tenter plus d'un. Boute-Bac craignait surtout l'attaque des Poufs, nombreux sur les rives du fleuve en cet endroit. Déjà la veille, au bivouac du soir, on avait relevé leurs empreintes, toutes fraîches. Preuve qu'ils avaient repéré la barquerolle et la suivaient. Preuve qu'il fallait se méfier.

Boute-Bac tenait donc son bateau le plus loin des rives, scrutant le moindre mouvement d'un côté ou de l'autre.

– Escacade droit devant ! hurla la vigie de proue.

Poutraflotte ! une escacade ! Le pire qui puisse arriver à une barquerolle chargée à ras de soute. Un goulot d'étranglement, avec tout ce qui s'ensuivait : le courant qui doublait d'allure, des tourbillons, des remous, des vagues hautes. Boute-Bac s'arc-bouta sur sa barre, hurla qu'on réduisît la voilure. À bord chacun se tint prêt. Bouzouk lâcha son aviron, mais ne s'arrima pas au banc, contrairement aux autres rameurs. Pas plus que Beurk le Mok, encore évanoui.

La barquerolle commençait à tanguer, sa coque raclant les rochers des rives. Sur le pont, certains appelaient Gozar ou Gġrok à la rescousse. Car les flots enflaient, bousculaient le bateau. Jusqu'à ce cri bramé par la vigie :

– Pioques, capitaine ! Hérisson de pioques !

Boute-Bac jura tout ce qu'il savait. Ventrepal ! il était maudit, trois fois maudit ! Qui dit pioques dit Poufs ! La barquerolle allait s'embrocher sur une forêt de pioques pointées vers l'amont. Des pioques installées par les Poufs, ces foutreniquons, ces grondards, ces...

Le choc lui fit rengorger la flopée d'insultes qui lui venait et, comme les autres, il tomba cul par-dessus tête. Les pioques venaient de stopper net la course du bateau, l'éventrant comme une vulgaire outre à kohol. Les soutes se remplirent d'eau furieuse, et la barquerolle sombra. Sur les rochers des rives, une dizaine de Poufs trépignaient, couinaient, leurs petits yeux luisant de convoitise. Une fois de plus, l'escacade leur apportait une proie facile, gorgée de butin.

Armés de gourdins et de piques, mais aussi de filets, ils guettèrent les rescapés. Il y en eut peu. Boute-Bac surgit le premier, en bon capitaine, suivi de Beurk le Mok. Pas un des rameurs attachés à leur banc n'était réapparu à la surface. Ni la vigie de proue. Tous mangés par l'escacade.

Les filets s'abattirent sur les deux survivants, qui ne cherchèrent pas à résister, à bout de forces. On les garrotta, on les suspendit tête en bas à une branche comme des grabons. Leur sort serait décidé plus tard. Pour l'heure, il fallait récupérer la cargaison de parfums. La tactique des Poufs était simple : s'encorder tous à la queue leu leu, les poches lestées de plomb et s'attacher au tronc d'un boabab. Ne restait plus qu'à respirer un grand coup et se jeter à l'eau. C'est ainsi qu'ils procédèrent. Cela fit un bien joli chapelet de Poufs.

Bouzouk suivait la manœuvre attentivement, niché entre deux rochers, un peu plus loin. Le choc l'avait projeté lui aussi par-dessus bord, comme les deux autres, mais il avait réussi à s'accrocher à un gros nuphar flottant à la surface. À échapper au courant, aux remous sauvages, et à la vigilance des Poufs. Tout cela sans magie, car il avait renoncé à ses pouvoirs de Petit Gourougou, depuis la nuit que l'on sait. C'était miracle qu'il fût là, sain et sauf.

Un par un, les Poufs sautèrent dans l'eau folle de l'escacade. Au dixième plouf, Bouzouk se débusqua, fonça vers les deux marins. Juste à temps, bigreboudin ! Figure congestionnée, yeux exorbités, il s'en fallait de peu que leur cerveau n'éclatât. Bouzouk cisailla leurs liens d'un silex tranchant et les deux hommes roulèrent dans l'herbe.

– Bbâb est avec nous ! grogna Beurk le Mok.

Boute-Bac arracha le silex des mains de Bouzouk et alla droit au boabab, où les Poufs avaient noué leur corde.

– Tu ne vas pas faire ça, grondin ! siffla Bouzouk.

– Ces fruquons auront la mort trop douce encore !

Et il trancha la corde. Elle serpenta en sifflant jusqu'à l'eau, s'engouffra dans l'écume bouillonnante. Il y aurait bientôt une brochette de Poufs au fin fond des Marais-Puants.

– Bienvenue chez Ggrok ! brailla Beurk le Mok.

Bouzouk soupira, songeur. Il avait protesté faiblement, comme si cela ne le concernait pas. Le vrai

Bouzouk n'aurait jamais laissé faire pareille chose. Il se trouva plus moulâchecouard qu'un pouaque.

Le pire était qu'il s'en fichait royalement.

Boute-Bac connaissait un grand lot de jurons et il en usa pour calmer sa colère. Lorsqu'il fut tari, il en inventa d'autres. Bouzouk menaçant de le rependre par les pieds, il se tut enfin. Il s'agenouilla sur la berge, en larmes, cette fois.

– Plus de mille flacons, par Valadingo ! Tous destinés à la cour du prince Zonzon et à sa clique de libellons ! Des frisottés, des pue-d'aisselle ! Je suis racuit s'ils apprennent que...

– Cesse donc de larmicher ! aboya Bouzouk. Tu es vivant, par Zout !

– J'aurais préféré crevailler au fond, garçon !

Beurk le Mok gloussa.

– On va te les ramener, tes faribioles, capitaine ! Je connais quelques gruons qui pourraient s'en mêler. Ils gîtent dans les maréchasses, à deux pas d'ici. Ils t'aideront.

Boute-Bac arrêta de larmoyer.

– Je paierai bien. En ducons d'or, s'ils le veulent.

– Pas besoin ! ricana l'autre. Quelques chopilles de kohol suffiront !

Il s'engageait déjà dans les taillis, d'un trot rapide, les coudes au corps. D'un bond, Bouzouk se porta à sa hauteur.

– Je t'accompagne.

Il n'avait cure des parfums enfouis au fond du fleuve, mais cette histoire de gruons l'intriguait. De plus, il n'avait pas envie de subir la compagnie de Boute-Bac, trop geignard à son goût.

– Une chance qu'ils soient à proximité, tes gruons.

– J'ai des amis partout, roucrin.

Des gruons ! Bouzouk en avait vaguement entendu parler. On disait qu'ils vivaient aussi bien dans l'eau que dans l'air, qu'ils se nourrissaient de bellules, de crevisses. On s'en méfiait, car ils ne croyaient ni en Ggrok, ni en Gozar. Bref, on disait beaucoup de choses sur leur compte. Bouzouk n'était pas fâché de vérifier l'affaire.

Ils coururent à travers les champs d'herbailles durant un long moment. Puis leurs pieds foulèrent un sol gorgé d'eau tiède, fumant par endroits. Quelques pas plus loin, ils s'enfonçaient jusqu'aux genoux dans une eau fangeuse, à l'odeur de charogne.

– Les maréchasses ! dit le colosse. Agrimpe mes épaules ! Plus loin, tu n'aurais plus pied.

Monter sur le dos d'un Beurk le Mok ne plaisait guère à Bouzouk. Mais barboter dans cette puanteur non plus. À contrecœur, il obtempéra. Ainsi avancèrent-ils, le petit sur le grand, fendant l'onde verdâtre, où flottaient des poissons morts cernés d'un nuage de crevisses. Parfois des bulles éclataient à la surface, vomissant un air fétide.

Le niveau de l'eau arrivait maintenant sous le nez de Beurk le Mok. Encore quelques pas et il boirait d'abondance. Soudain le géant s'arrêta, les yeux brillants :

– Entends-tu ? Ils arrivent.

Autour d'eux, l'eau bouillonna, et cinq gruons sur-girent des profondeurs, comme s'ils étaient montés sur ressort. Les cinq têtes s'immobilisèrent à trois coudées au-dessus de Bouzouk, qui faillit en avaler sa langue. Le haut du corps – visage, tronc et bras – était quelconque. À l'inverse, les jambes s'avéraient aussi longues qu'une paire d'échasses. L'eau leur arrivait à peine aux genoux.

Le jeune homme laissa échapper un « Salut » étran-glé auquel, du reste, personne ne répondit.

– Les gruons ne parlent pas, roucrin. Ils couinent comme des crapouilles. Lorsqu'ils sont contents, ils rou-geoient.

Nul ne rougeoyant, Bouzouk s'alarma. Mais les gruons firent bientôt demi-tour et partirent à grandes, à immenses enjambées. Hormis l'un d'eux, qui souleva Beurk le Mok et l'installa sur ses propres épaules.

– Ils nous mènent chez leur chef, mon ami Poupiol ! hurla le marin.

Agrippé au dos de Beurk le Mok, à sept ou huit cou-dées au-dessus de l'eau, Bouzouk n'en menait pas large. À chaque pas du gruon, il tanguait dangereusement. Il ferma les yeux, l'estomac chaviré.

Poupiol et ses gens vivaient dans de petites huttes posées sur pilotis, qui leur ressemblaient un peu. Toutes reliées entre elles par des pontons de bois. À l'arrivée de la troupe, la tribu entière sortit. Reconnaissant Beurk le Mok, chacun émit des petits couinements suraigus et prit une belle couleur vermeille.

– Tu vois, roucrin, c'est en mon honneur qu'ils couinent et s'empourprent.

En chef incontesté, Poupiol rougeoyait plus fort que les autres. Il serra sur son cœur le marin, qui lui conta le naufrage de la barquerolle lestée des mille flacons. Une lueur folle alluma les yeux ronds du gruon. Il couina quelques ordres brefs et les siens se groupèrent autour de lui. La même lueur dans le regard. Ils étaient vingt, peut-être plus.

Beurk le Mok jubilait, poussait Bouzouk du coude.

– C'est gagné, roucrin ! Des parfums à bibonner, c'est merveille pour ces gobe-gouttes !

Ils se mirent en route. Poupiol en tête, qui portait Beurk le Mok et Bouzouk sur son dos. Les autres nageaient sous l'eau, agitant leurs immenses jambes à la manière d'une queue de poisson. Bouzouk voyait leurs ombres glisser sous la surface à une allure stupéfiante. Sortis des maréchasses, ils se mirent à courir sur le sol avec la même rapidité, sans bruit. Beurk le Mok tenait là des recrues de premier ordre.

La troupe arriva bientôt sur les lieux du naufrage, où Boute-Bac s'impatientait, arpentant la rive du fleuve de long en large.

– Bigresang ! il était temps ! hurla-t-il.

Beurk le Mok ignora le capitaine. Il désigna à Poupiol l'escacade où ronflait le fleuve. Sans l'ombre d'une hésitation, les gruons et leur chef sautèrent dans les eaux furieuses. Il ne se passa pas longtemps avant que le premier gruon remontât. Ce fut Poupiol, qui couinait abondamment, la face empourprée. Il s'accroupit et attendit quelques secondes. Un bras creva la surface, brandissant un flacon, dont Poupiol se saisit. Il y en eut un autre, et encore un autre et ainsi de suite. Les gruons formaient une chaîne d'une belle efficacité.

La précieuse cargaison fut remontée en un tourne-main, à la grande joie du capitaine, qui chanta les louanges de Poupiol. Puis qui se tut car, à peine émergés, les gruons se mirent à déboucher quelques flacons et à les siffler séance tenante.

– Mes parfums ! Bande de becs-vinasse ! Bibardons ! Sacs à picole ! tonnait Boute-Bac en courant d'un gruon à l'autre, bouleversé de voir ses inestimables flacons arroser leurs gosiers.

On le chassa à coups de pierre, à coups de pied.

– La barquerolle n'a plus besoin de capitaine ! gloussa Beurk le Mok. Tes parfums changent de main !

Le colosse riait à plein gosier, brandissant une bouteille.

– Sois heureux que je ne t'embrochaille pas, vieux dindard !

– Je reviendrai, freu ! Et moi, je te tuerai ! fulmina Boute-Bac, avant de disparaître dans les fourmilles.

Bouzouk n'avait pas bronché. De plus en plus indifférent à ce qui l'entourait. Flambre, hupette et aguiche pouvaient bien garnir le ventre des gruons ou de qui voudrait, poutravin ! Voleur, volé, qu'ils aillent tous se faire bouillir chez Mmolloche ! Débouchant à son tour un flacon, il en goba une fieffée rasade. Par Bbâb ! C'était meilleur que les cauchemars qui lui collaient aux basques ! Et une plaisante riposte contre ce fichu cœur qui s'obstinait à battre plus fort au souvenir d'un visage aimé.

Il but à s'en noyer la langue.

CHAPITRE 3

LORSQUE BOUZOUK S'ÉVEILLA, LES PREMIÈRES LUEURS DE l'aube faisaient briller la rosée. Il en cueillit quelques gouttes et s'en frotta le visage. Bigrelot ! pourquoi de fichues clochailles lui sonnaient-elles à l'intérieur du crâne ?

Il se leva avec peine, dut s'appuyer au tronc d'un boabab. Autour de lui, ronflant à pleins naseaux, les gruons gisaient dans l'herbe parsemée de flacons vides. Certains commençaient à s'éveiller. L'air empestait un mélange de vomissure et de parfum. Bouzouk alla s'agenouiller près de l'escacade et y plongea la tête. Il manqua tomber, tant le courant était fort et lui faible, mais l'eau glacée lui fit du bien. Se goberger de parfum, bigrecuite ! Il fallait être gruon pour supporter pareille mixture ! Poupiol et les siens avaient dû vider une bonne centaine de flacons, au bas mot.

Le reste de la cargaison allait fournir les marchés et les auberges de la région, ou serait vendu à des colporteurs. Beurk le Mok en tirerait des monceaux de ducons, que sa pauvre vie de marin ne lui promettait pas. Le colosse se voyait déjà archidron ou marquisard. Allongé sous un buisson d'urlure, il rêvait de soie et d'organdi, de femmes, de mets onctueux, de doux coussinets ; tout ce dont il était privé depuis trop longtemps.

C'est dire si la troupe de soldards débusquant des fourmilles aux cris de « Sus aux gruons ! » bouscula ses projets ! Ils étaient au moins cent, harnachés de ferraille et de piques. Ils portaient le blason du prince Zonzon. Boute-Bac les menait, qui criait : « Pas de quartier ! »

Ils déferlèrent sur les gruons au pas de charge, transperçant les endormis, poursuivant ceux qui s'enfuyaient, à un contre dix. Quelques gruons réussirent à s'échapper, malgré leurs blessures, parce qu'un seul de leurs pas en valait dix. Bouzouk, ayant arraché une épée à l'un des soldards, se fraya un chemin à coups de lame. En compagnie de Beurk le Mok, il grimpa sur le dos de Poupiol, qui détala à grandes enjambées.

– Pas de quartier, surtout ! beuglait Boute-Bac, qui venait de voir avec horreur les flacons vides jonchant le sol.

De quartier, il n'y en eut pas. On balança les cadavres dans l'escacade, où les épinuches firent ripaille. Marins, Poufs, gruons, l'endroit regorgeait désormais de carne à grignoter.

Quant aux fuyards, on les ignora, car ils couraient trop vite.

– Qu'ils pourrachent chez Ggrok ! cracha Boute-Bac en guise de conclusion.

Pour lui, l'affaire était close et sa vengeance repue.

Les maréchasses s'étaient refermées sur Bouzouk, Poupiol et les autres. Personne ne les y poursuivrait jamais. Trop de dangers, trop d'immondes puanteurs. Les survivants parvinrent jusqu'aux petites huttes, où ils pansèrent leurs blessures. Beurk le Mok avait écopé d'une méchante plaie à la tête, qu'on pansa d'herbailles. De tous, seul Bouzouk avait échappé aux coups des soldards et l'épée qu'il avait emportée, de taille respectable, lui valut grand prestige. Beurk le Mok cessa de l'appeler roucrin et lui donna du « sire ». Bouzouk s'en agaça puis laissa faire.

Avoir une arme au côté le rangeait désormais dans une famille qu'il haïssait autrefois, celle des guerriers. Son destin, qu'il le voulût ou non, était bien à l'image de son passé. À vrai dire, cela ne l'embarrassait plus.

Il se passa plusieurs jours où chacun digéra les événements à sa manière. Les gruons n'étaient plus à présent que cinq, sur la vingtaine qui composait la bande. Ils s'étaient regroupés dans la hutte de Poupiol. La plupart du temps, serrés les uns contre les autres, ils couinaient à petits cris plaintifs. Beurk le Mok se joignait parfois à eux pour couiner de concert. Et aussi les traiter de mollusquons juste bons à nourrir les crevisses – histoire de leur chatouiller l'orgueil. Cinq vrais gruons, ça pouvait encore faire une bande, mais pas ces cinq chiffes molles pleurnichardes.

Bouzouk ne s'en mêlait pas. Il s'était installé dans une hutte, à l'écart, et méditait sur lui-même. Dans ce lieu singulier, lui revenaient des voix, des visages, qu'il tentait d'oublier. Comme rien ne venait le distraire, il vit qu'il allait sombrer dans une mélancolie plus profonde que la nuit. Alors il sortit sur le ponton et se mit à faire siffler son épée dans l'air, d'estoc et de taille, à la manier comme jadis, lorsqu'il côtoyait son père. Il combattit le vent, les ajoncs, l'eau puante, les moustiques, et, bien sûr, son ennemi intime et invisible, c'est-à-dire lui-même. Il sentit de nouveau la violence monter en lui, l'envelopper. Cette fois, il jura de s'en servir pour ne pas se noyer d'amertume et de chagrin.

– Belle échauffourre, sire ! hurla Beurk le Mok. Mais choisis-toi un adversaire, par Ddrôg !

Derrière lui, les cinq gruons couinaient à grand bruit, leur face rougeaude illuminée de rires. Poupiol sautait sur ses grandes jambes en fouettant l'air de ses bras, imitant Bouzouk. La scène les avait ragaillardis. Tous à présent avaient soif d'en découdre avec qui voudrait.

– Allons au nord des maréchasses ! tonna le marin. Il y passe floppe de convois ! On y fera main basse !

Pourquoi pas ? Bouzouk en avait assez des huttes, des pontons moussus, de la puanteur. Il fit virevolter sa lame, la pointa vers le nord.

– Je veux des fourrures pour dormir ! Des peaux de baribou ! Je veux les bijoux du prince Zonzon ! Et ses empapouaches pour me garnir la coiffe !

À vrai dire, il ne voulait rien du tout, mais chacun le crut sur parole. C'était un discours de maréchon, et les gruons avaient besoin d'un chef. La troupe se mit aussitôt en route, à grandes éclaboussures. En tête, Poupiol portait Bouzouk sur ses épaules.

CHAPITRE 4

LA CARAVANE SERPENTAIT DANS LA CENDRE ROUGE DE LA plaine. Attelés aux lourdes charioles, les labourrins soufflaient, peinaient. Ils avaient connu des cargaisons moins drues – plumes de gnours ou œufs de vent. Cette fois, le prince Zonzon faisait venir d'Orgon des barils remplis de bouglaise : une terre ocre qui, mélangée à de l'huile, rendait la peau plus douce que la soie et embellissait le teint. Merveille des merveilles, mais qui pesait son poids. Les roues des charioles traçaient dans le sol des sillons profonds, que Bouzouk repéra de loin, avant même d'apercevoir le convoi.

Il vit aussi des cavaliers lui faisant cortège. Nombreux et bien armés. Il fallait les neutraliser avant qu'ils pussent se regrouper et faire front. Cinq gruons ne pèseraient pas lourd face à une telle troupe.

– Je vais les contourner par le croupion, et les décalifourcher un par un, dit-il à Beurk le Mok. À forssallure, Poupiol !

Le marin avait à peine acquiescé que déjà le gruon fonçait vers l'arrière du convoi, qui crachait une épaisse poussière pourpre. Et tout se passa comme annoncé :

Poupiol fondait sur le cavalier et Bouzouk, empoignant la tête casquée, arrachait l'homme à sa selle. Tactique féconde puisque l'un après l'autre, sans avoir rien compris, les hommes du prince Zonzon s'en furent manger le sol. Beurk le Mok et les autres gruons se chargeant de les assommer.

En un clin d'œil, l'affaire fut entendue. La caravane changea de direction et le soir même, barils de bouglaise, labourrins et charioles étaient vendus sur un foirail du nord.

Ce fut la première rapine de la bande à Bouzouk. Le jeune homme y gagna une solide réputation. Comme il ne s'en tint pas là, et multiplia les brigandages avec sa petite troupe, son nom trotta bientôt sur toutes les lèvres. On le calligraphia sur des affiches, avec son portrait. Placardées çà et là sur les murs des auberges, elles promettaient mille ducons à qui ramènerait au prince Zonzon la tête du jeune homme. Ou toute autre partie de son corps prouvant qu'il ne pourrait plus nuire.

Car le prince Zonzon était très fâché. Il trouvait insupportable qu'on détournât ses convois de pomponnette, de bouglaise, de fourrures, de bijoux, d'empapouaches. Enfin quoi, par Pipuze ! éructait-il à qui voulait l'entendre. Allait-on laisser un drôlard faire la loi et terroriser la région ? Fallait-il en appeler au Kron ? À Ggrok ? Le prince Zonzon ne décolérait pas, au milieu de ses courtisards, qui l'approuvaient sans réserve. À cause de ce criquaillon, la cour s'amusait moins, beaucoup moins.

Puisque la tête de Bouzouk était encore sur ses épaules, on demanda au capitaine Tête-Bibon, le plus illustre soldard de la garnison, d'aller la trancher sur place, dans les maréchasses. Là où les gruons se terraient après chaque rapine, et comptaient leur butin. On le savait grâce à quelques gnours ayant survolé le pays et repéré la bande.

On arma une troupe qui se mit en branle vers le sud. Une fois parvenu là-bas, à la nuit tombée, Tête-Bibon embarqua ses gens dans de grandes yoles, avec l'idée de débouler sur les gredards. À dix contre un, c'était raisonnable. Chacun tenait ferme son arme et s'apprêtait à massacrer l'ennemi.

La flottille déboucha silencieusement sur les huttes ; l'une après l'autre, les yoles s'amarrèrent aux pontons. Et les soldards soudain d'enfoncer les portes ! De tailler l'air à coups de pique ou de lame, d'éventrer les murs, de percer les lits.

– Tue ! Tue ! braillait Tête-Bibon.

À quoi répondit un craquement énorme, sinistre. Les huttes, dont les pilotis avaient été sciés par les gruons, s'effondraient sous le poids des soldards. Les maréchasses engloutirent la troupe alourdie de ferraille, jusqu'au dernier homme. Seules quelques yoles flottaient encore sous la lune lorsque Bouzouk et sa bande surgirent d'une haie d'ajoncs, d'où ils avaient tout vu.

Le jeune homme ordonna aux gruons de repêcher les soldards, avant qu'ils n'aient avalé toute la vase du fond. Puis on les dévêtit et Beurk le Mok se chargea de leur cingler les fesses, l'un après l'autre, avec des brassées d'ortillons. Ce fut nus et couverts de cloques qu'ils repartirent dans la nuit sur leurs yoles. Et bienheureux d'être sains et saufs. Si l'on avait écouté le marin, ils seraient restés au fond des maréchasses.

– C'était une belle attrape, sire ! Zonzon va en bouffailler ses chausses !

Beurk le Mok fanfaronnait, les gruons couinaient. Leur triomphe les truffait d'orgueil. Après pareil exploit, personne n'oserait plus s'attaquer à eux. Ils pourraient rapiner, friponner, brigander à loisir, pensaient-ils.

Bouzouk les refroidit.

– Il faut s'enaller des maréchasses, dit-il. Zonzon bouffaillera ses chausses, certes, puis il lèvera une armée contre nous. Il y va de son honneur.

Beurk le Mok grimaça.

– Les gruons ne peuvent pas vivre ailleurs et moi, j'ai trouvé mon repaire. On ne s'enallera pas.

Aux couinements de Poupiol, Bouzouk comprit que les gruons approuvaient le marin. Il haussa les épaules. Rien ne le liait à ces six freux-là, hormis les pillages. Et quelques beuveries inoubliables où Beurk le Mok lui avait appris à boire. Pourtant c'était devenu son clan et il décida de ne pas les quitter tout de suite. Plus tard, quand le danger presserait. Peut-être alors le suivraient-ils.

Ils passèrent trois jours à reconstruire des huttes. Bouzouk voulut croire qu'il se trompait.

L'armée du prince Zonzon arriva à l'aube du quatrième jour, alors qu'ils dormaient encore. Cette fois, c'est par dizaines que les yoles se pressaient sur l'eau fangeuse. Par centaines que les soldards dardaient leur lame, ou pointaient leur arbatelle. À leur tête, le maréchon Perce-Croupe, expert en carnage et tortures en tous genres.

Il n'y eut même pas de bataille. La masse de bois et de fer bouscula les huttes comme un tas de feuilles mortes et les pilotis s'affaissèrent dans une gerbe verdâtre. Puis les armes hachèrent l'eau sans relâche, jusqu'à ce qu'elle se teintât en rouge. Beurk le Mok mourut dans son sommeil, alors qu'il rêvait de femmes, de picaille. Poupiol et ses gruons furent tranchés menu.

Bouzouk eut plus de chance. Il réussit à sauter dans une yole, et vida l'embarcation à coups d'épée. Profitant du nuage de boue soulevé par l'effondrement des huttes, il se mit à l'abri parmi les ajoncs. C'est de là qu'il contempla le massacre, impuissant. Ses yeux restèrent secs, mais la haine s'installa dans son cœur.

Par Zout ! Cet empapouachouillé de prince Zonzon paierait un jour pour ces abominations !

CHAPITRE 5

L A MONTAGNE SE VOILAIT PEU À PEU D'UNE BRUME ÉPAISSE, poisseuse. Déjà le soleil avait roulé à l'ouest, englouti par la forêt, en contrebas. Les jambes de Bouzouk lui faisaient mal, mais il grimpait toujours. Il ne cesserait qu'avec la nuit noire, et se tapirait dans un fourré, ou une grotte.

Après ce qu'il venait de vivre, il voulait du silence. Être seul. Et surtout oublier l'odeur du sang, dont il avait la nausée.

À présent il cherchait un refuge, où les soldards ne le traqueraient pas, puisqu'ils le croyaient mort. Il y attendrait que les esprits échauffés s'assoupissent.

Sur une barre rocheuse, une tache sombre semblait un œil noir. Il trotta jusque-là. C'était une niche creusée dans la paroi presque verticale, à plus de six coudées du sol. Il s'y hissa sans peine. Elle était peu profonde, mais assez vaste pour s'y allonger. Un bon poste de vigie, dominant la vallée.

Un lieu de méditation, aussi.

Il songea aux trouyères des Bougres, dans le Cuvon. C'était il y a des siècles. En un autre monde. Avait-il vraiment progressé, depuis ? Il l'avait cru, oui ! Sa mémoire s'était regarnie. Il y avait gagné un passé d'enfançon puis de jouvenceau. Il avait eu des compagnons ! Et de l'amour ! L'amour d'une princesse bonne et belle à mourir ! Il avait amassé cela comme un trésor.

Puis tout s'était écroulé, en quelques misérables souvenirs. À cause de la barbarie qu'il portait en lui – la même que celle de Baroud de Morte-Paye, son père. Celle qui avait fait de Bouzouk un gredard. À présent qu'elle souillait chacun de ses gestes, il la laissait agir, puisque c'était son sort. Le tendre jeune homme d'autrefois, aimé, respecté, celui-là avait été englouti. Pis qu'une ombre molle. Penser qu'il avait été trouvamour, bigrarime ! c'était risible.

Aujourd'hui, il n'était plus que violence et haine.

Comme d'autres, qu'il avait croisés tout au long de sa vie. Les Bougne-Sec, Crasse-Pogne, Zzar et compagnie. M'mandragore, Knut le Fourbe, Malebasse... Pourquoi s'était-il cru différent d'eux ?

Bouzouk ferma les yeux. Il se sentait la tête creuse, comme lorsqu'il s'était réveillé tout-nu, sortant du Bouchard. Il aurait aimé la garder ainsi, à l'abri des cauchemars.

Il en eut pourtant. Le sommeil le prit mais lui farcit le crâne d'épopées barbares, d'hallalis, de féroces batailles. Il rêva de son père.

C'est un bruit sec qui l'éveilla. Des pierres roulaient. Homme ou bête, on marchait parmi l'éboulis proche. Bouzouk serra les poings. Si l'on voulait sa peau, il la vendrait cher. Il agrippa la poignée de son arme et avança la tête vers l'ouverture. Pour y voir surgir un visage blanchâtre, au crâne chauve, et muni d'une bouche vermeille qui murmura d'une voix plaintive :

– Laisse-moi nicher ! On me chasse !

C'était vrai. Bouzouk entendait les aboiements des grifflons, les cris des hommes. Quel maudit vent avait amené ce pouaquon ici ? Justement ici ! Puis il songea qu'il était lui-même un gibier. Alors il tendit la main. Il faillit tomber en arrière tant pesait peu le personnage, qui fut catapulté au fond du trou, et s'y lova. Il dégageait un fort parfum d'aguiche. Irrespirable, à vrai dire.

– Ne bouge pas, ne bavotte pas. Les grifflons ont l'ouïe fine ! pépia-t-il.

Son visage, lourdement fardé, était perché sur un corps chétif, habillé de soie blanche. Hormis les lèvres, rouge sang, on aurait dit un fantôme. Il tremblait, les yeux écarquillés.

Soit. Bouzouk ne remua pas un cil, ne parla pas. Espérant que s'éloigneraient les jappements de la meute. Hélas, les grifflons ont aussi la truffe fine – l'odeur du fuyard étant facile à suivre. La meute parvint au pied du trou et se mit à hurler de plus belle.

S'ils ne voulaient pas être gaulés comme noix par les chasseurs, il fallait agir.

– Raboule-toi, on s'enalle ! siffla le jeune homme en s'engageant dans l'ouverture.

L'autre ne bougea pas d'un poil, tassé contre la roche. Terrifié.

– Alors, chacun pour soi, pissard ! grogna Bouzouk, et il sauta au milieu des grifflons, qui reculèrent, surpris que la proie leur tombât sur l'échine.

Puis ils ne s'étonnèrent plus de rien, car leurs têtes volèrent. Bouzouk maniait l'épée mieux qu'un tranche-col.

– Tue ! Tue ! On le tient ! Tue !

La horde des chasseurs venait de surgir des fourmilles. Une bonne douzaine, tenant en laisse d'autres grifflons, qu'ils s'apprêtaient à lâcher. Apercevant Bouzouk, l'épée ensanglantée, près des corps inertes, ils s'arrêtèrent. Quel était ce tour de magie, ventrarnaque ? Leur gibier pâlot s'était-il changé en perce-goret ?

– Je connais cette tête de roupoil ! hurla l'un d'eux. C'est celle qui garnit les affiches, sur les murs !

– Bien vu, grondin ! Je suis Bouzouk !

Le nom claqua comme un coup d'arcamuse et les laissa pantois. Chacun savait les exploits du brigand. Le jeune homme s'avança vers eux, bouillant de fureur. Il avait reconnu sur les cottes le blason du prince Zonzon.

– Venez, mes jolis ! Approchez, que je vendange tripailles !

Bouzouk devait avoir l'allure d'un assassin. Bêtes et gens firent vivement volte-face. Tous glapissant comme des skonjs, et braillant qu'on ne luttait pas contre un dieu tombé du ciel.

– Moulâchecouards ! tonnait Bouzouk. Pétochions ! Pisse-étrons ! Serre-culs !

Et autres pouillardises du même tonneau ! À fréquenter le freu, Bouzouk avait le sac à mots de plus en plus rempli.

Il se mit à rire. Lui, un dieu ! Par Ggrok, il s'étoffait drôlement, pour effrayer pareille troupe ! Encore un peu et il pourrait affronter à lui seul l'armée du prince Zonzon.

– Toison-Rouge, tu m'as esbroufé ! Foi de Frusquin, ton exploit restera dans ma mémoire !

Le fantôme ! Bouzouk l'avait oublié, celui-là. Encadré dans l'ouverture de la grotte, il applaudissait son sauveur à tout rompre.

Chapitre 6

L'œil du nommé Frusquin débordait tant de reconnaissance qu'il en mouillait jusqu'à ses pieds.

– Demande-moi ce que tu veux, répétait-il.

Mais que pouvait bien demander Bouzouk à cet insignifiant blêmard ? Sinon qu'il disparût sur-le-champ ?

– Demande donc, insistait l'autre. Je suis ton ami.

Ami ! Bouzouk grimaça. Le mot lui hérissait le poil jusqu'à l'os. Les ombres d'anciens compagnons flottèrent un instant devant ses yeux. Frusquin poursuivait :

– Tu es Bouzouk, je t'ai entendu le dire. Mais moi, sais-tu qui je suis ? Sais-tu pourquoi on me chassait ?

Bouzouk haussa les épaules. Cet avorton lunaire commençait à lui chauffer les sangs.

– J'étais l'attifon du prince.

Et comme Bouzouk fronçait les sourcils, brusquement intéressé :

– Celui qui ordonne et commente la toilette, chaque matin. Une tâche d'importance, tu peux me croire. Je commandais à un essaim de fardons, de perruquiers, de frisottins. J'avais la main sur des trésors dont tu n'as pas idée ! Le plus haut poste du palais !

Il hocha la tête en soupirant.

– Il a suffi d'un mot pour que je perde mon rang. Pis ! Que je sois chassé comme un vulgaire groulache par des piquards ! Et poursuivi ! Et...

– Quel mot, bavottard ? trancha Bouzouk.

– *Terne*, ami. J'ai dit, sans y penser : « Ton visage est bien terne, ce matin, prince Zonzon. » Cela a signé ma perte. D'ordinaire je lui sers d'autres mots, comme *lumineux, brillant, girond, piquant, bellot...*

– Paix, pouaquon ! Tu m'ennouilles avec tes fifreluches !

– Fifreluches, dis-tu ? Par Psych ! Tu comprendrais si tu vivais à la cour.

Bouzouk lui saisit le poignet au vol.

– Justement, bouffon, justement. Mène-moi chez Zonzon.

Frusquin sourit d'un mauvais sourire.

– Tu lui veux du bien ou du mal ?

– Pire que du mal. Je dois venger des morts.

– Je t'aiderai. Que ce tortille-cul crevaille enfin !

Ils se turent, chacun méditant son projet. À présent, ils étaient alliés. L'un pétri de dégoût et de haine, l'autre de revanche. Frusquin partit le premier sur la sente, vers l'ouest. Il pérorait rageusement, en brassant l'air. Bouzouk le suivit en silence, l'épée ensanglantée à la main.

Ainsi que ses semblables, le château du prince Zonzon possédait des douves et des remparts hérissés de soldards. Assurément, l'assaillant y aurait du fil à retordre – s'il s'y risquait, car les douves étaient profondes, les remparts vertigineux. Rien de surprenant, en somme. Ce qui l'était plus, c'était l'architecture intérieure. Une fois le premier portail franchi, on se heurtait de nouveau à des douves, plus profondes encore, à des remparts, toujours plus vertigineux. Et cela sept fois de suite. Un gigantesque labyrinthe ! Sept châteaux ! Tous flanqués de soldards aux créneaux, tous fourmillant de cuistots, de jardiniers, de valetaille, de glébeux, comme il se doit. Tous sauf le septième, au centre, où vivaient le prince Zonzon et ses gens. Eux et eux seuls.

Formidable système de défense, on le voit ! Mais il y avait une autre raison : la cour n'aurait jamais accepté la compagnie de gens malodorants, vêtus de ferraille ou de méchante étoffe. Ne disait-on pas : « Toile et soie jamais ne se mêlent... » ? La cour laissait les rustres la défendre et la nourrir, mais de loin.

C'est ce qu'expliquait Frusquin à Bouzouk, tandis qu'ils arrivaient en vue des sept châteaux.

– Zonzon est mieux gardé que les trésors d'Orgon, pesta Bouzouk.

– Il l'est. Mais fais-moi confiance, ami.

– Je n'ai aucune confiance en toi, bouffon. Et cesse donc de m'appeler ami, je ne le suis pas !

L'attifon ricana. La haine qui habitait ce jeune homme lui plaisait. Elle guiderait son bras, à coup sûr. Les heures de Zonzon étaient comptées.

Il pointa le doigt.

– Tu vois ces gros oiseaux, qui tournoient au-dessus du donjon ?

– Des rapiasses attirés par la charogne !

– Non point. Ce sont des riflars, que l'oiseleur du prince dresse en guise d'ombrelle. Au moindre soleil, ils volètent au-dessus des courtisards. Ces gens-là ne supportent pas la chaleur, qui fait suer et ride la peau.

– Au fait ! rugit Bouzouk, que le pépiement de l'autre exaspérait.

Frusquin siffla entre ses doigts et un riflar obliqua dans leur direction.

– Celui-là, je l'ai tenu au creux de ma main, jadis ! Je le nourrissais encore hier.

L'énorme bête voltigeait au-dessus d'eux.

– Courbe l'échine, ami ! Courbe donc !

Ce que Bouzouk fit, à contrecœur, car l'ordre était insupportable à ses oreilles. Mais il fut bientôt à dix coudées du sol, le dos agrippé par une des serres. Frusquin se tenait à ses côtés, pareillement empoigné.

– Je jouais souvent à voler ainsi dans la cour du château ! N'est-ce pas merveilleux ?

Ça l'était ! Un court moment, Bouzouk oublia tout. Il ne fut plus qu'un enfant ailé, qui surplombait une vallée riante, les méandres d'un fleuve, les créneaux d'un donjon. Il oublia même l'épée qu'il tenait. Puis il roula sur une terrasse de pierre, où le riflar les lâcha.

Ils étaient dans la place et il avait suffi de quelques battements d'ailes. C'était un grand prodige.

– À l'heure qu'il est, la basse-cour est à l'ombre ! murmura l'attifon. Nous avons champ libre. Suis-moi !

Frusquin était à son affaire, les lieux n'ayant aucun secret pour lui. Sa frêle silhouette blanche rasait les murs sans hésitation, Bouzouk derrière lui. Le château était silencieux. De molles silhouettes passaient au loin, avec quelques murmures. La cour de Zonzon était de celles qui ronflotaient sous la couette, brodaient, cousaient, suçaient des berlingots à la violette.

Ils pénétrèrent dans les appartements du prince aussi aisément qu'ils avaient atterri sur le donjon. Il y flottait des senteurs lourdes, étouffantes. Le sol était couvert de fourrures et des sombres tentures ornaient les murs. Le prince Zonzon aimait les ambiances crépusculaires. Par Rrôdar, songeait Bouzouk, il allait être servi !

Les sept murailles semblaient avoir ôté aux châtelains tout souci de se protéger. Pas un soldard, pas le moindre nabot portant pique ou hallebarque. Frusquin s'arrêta devant une large porte drapée de velours mauve, entrouverte.

C'était la chambre du prince.

– À toi l'honneur, murmura Frusquin en s'effaçant devant Bouzouk.

Le jeune homme avança vers le lit à baldaquin. Les rideaux étaient tirés et c'est de l'épée, lentement, qu'il en écarta un pan.

Le dormeur gisait les bras en croix, nu. Il avait la peau laiteuse, luisante de graisse. Sous son long nez aux narines pincées était posé un sourire niais. Le prince Zonzon était loin, très loin.

– Il ne sentira rien, dit Frusquin. Il est gorgé de chuut.

Bouzouk leva un peu plus haut son épée.

CHAPITRE 7

AILLE-LE EN CHARPIE, TAILLE DONC ! CRACHA Frusquin, car la lame tardait à s'abattre.

Bouzouk sentait son arme devenir plus lourde à chaque seconde. Comme sa tête, où valsaient les ombres des gruons massacrés, et celle de Beurk le Mok. Comme son dégoût de lui-même et sa haine envers les hommes. Tout lui commandait de faire siffler sa lame. Une seule fois, en travers du col, et c'en serait fini.

La main de l'attifon lui enserra l'épaule.

– Zonzon a torturé, pillé, violé, tué plus qu'on ne peut faire. C'est un croque-carne de la pire espèce ! Saigne-le ! Ou cette morvaille t'effraierait-elle ?

Le bras de Bouzouk retomba doucement, en même temps que le rideau.

– Je m'effraie moi-même, crapion !

Il regardait ses mains broyant la poignée de l'épée, le sang séché sur la lame. Il lui sembla que cela ne lui appartenait plus.

– Bigrepieu ! suis-je tombé si bas que je veuille embrochailler un homme qui dort ? dit-il à voix basse.

– S'il dort, c'est pour oublier ses crimes ! Tue, Toison-Rouge ! Tue ce freu qui mérite pire que la mort.

– Fais-le donc.

– Maudit goulavent ! Vas-tu frapper ?

Bouzouk sentit que son bras se levait, malgré lui, qu'il faisait tournoyer lentement l'épée. Il y avait de la magie dans l'air.

– C'est toi, corbiard, qui fais vivre mon bras ?

Pas question de laisser un magillon s'emparer de son corps. Oubliait-on qu'il était le Petit Gourougou ? Hop ! d'un froncement d'orteil, il stoppa son arme et hurla :

– Qui es-tu, à vouloir m'ensorceler ?

Frusquin fit un geste et Bouzouk sentit trente bras lui pousser sur le corps, tous armés d'une dague. Trente bras qui se mirent à taillader les rideaux du lit, dans un cliquetis infernal.

Le prince Zonzon avait beau être gavé de chuut, le vacarme le tira de sa torpeur. Il se dressa, l'œil halluciné, parmi les rideaux lacérés. Voyant un assassin à trente-deux bras brandissant trente dagues et une épée au-dessus de lui, il se mit à pousser des cris effroyables. Mille porcasses n'auraient pas mieux couiné. Il beugla plus fort encore en voyant l'assassin se couper les bras, qui tombaient un à un comme des figues blettes.

Plus de chuut ! se jura le prince. Plus jamais il n'avalerait de ce fichu chuut ! Des cauchemars pareils, ventraschnouf ! Jamais plus ! Et il hurla de plus belle.

L'alerte était donnée. Redevenu lui-même à force de trancher sa chair, Bouzouk se trouva bientôt face à un bataillon de soldards bardés de piques. Il se laissa bousculer, désarmer, ligoter. Sans résister ni user de magie. Il se sentait soudain étrangement léger. Sa colère avait disparu, et sa haine. Comme s'était évanoui le nommé Frusquin, cet étrange fantôme pousse-au-crime. L'avait-il rêvé ou l'attifon s'était-il évaporé comme un pet d'anogre ?

Bah ! peu lui importait, à présent. Il regarda paisiblement venir à lui le prince Zonzon, qu'une femme épaisse soutenait à la taille, comme un enfant. L'œil encore hagard, le prince retrouvait peu à peu l'usage de sa raison.

– Je connais ta figure. Où l'ai-je biglée ?

Zonzon avait une voix de fausset qui contrastait avec ses cris.

– Sur des affiches, où tu l'as fait peindre. Je suis Bouzouk.

L'autre eut un mouvement de recul, se nichant une seconde sous l'aisselle de la femme. Puis, songeant qu'il ne risquait plus rien, il s'avança et gifla le jeune homme. Par trois fois, avec le dos de la main, où brillaient des chevalières. Les lèvres de Bouzouk pissèrent du sang, mais souriaient toujours.

– On va te torturer le plus atrocement du monde. Tenailler ta langue, t'écorceler, te tailloter, te cacasser les os. Tu cesseras de rire, poulpon.

Puis il lança à l'adresse des soldards :

– Quand le bourreau sera prêt, qu'on m'appelle.

La troupe emmena le captif jusqu'au donjon, où il fut jeté dans une geôle puante.

Sa vie de malfaisant allait donc être tranchée dans l'heure. N'était-ce pas ce qu'il souhaitait ? Devenir une ombre molle n'était pas un destin si terrible. Il y retrouverait quelques connaissances.

Cependant cela ne se passa pas ainsi. Le battant s'ouvrit à la volée, et livra passage à une silhouette massive, qui emporta Bouzouk. Dans l'escalier, à la lueur des torches, il reconnut l'énorme matrone du prince Zonzon. Elle le tenait délicatement, comme s'il était un poupon à bercer.

– Ne crains rien, Achille ! dit-elle d'une voix étonnamment grave.

Et, devant la mine stupéfaite de Bouzouk :

– Je t'ai reconnu tout de suite. Pourtant, je t'avais oublié. C'est curieux, les souvenirs…

Elle rit silencieusement, en le posant enfin par terre. Ils étaient à l'orée d'une cour, sous un portail sombre.

– Regarde, pistounet.

Ôtant sa perruque, elle montra un crâne lisse comme un galet.

– Traîne-Souche ! Par Zout ! c'est bien toi ?

– Ici, je m'appelle Isabelle, gloussa l'ancien Bougre, ravi de son coup.

Ils se serrèrent brièvement l'un contre l'autre, comme deux frères se retrouvant après une longue séparation.

– Tu étais couturière, la dernière fois, dit Bouzouk. Par la faute de cette donzarde de M'mandragore ! Et maintenant ?

L'autre remit sa perruque, minauda :

– J'ai pris de l'avancement : dame de compagnie, mon cher. Je règne sur la ruche.

Ils rirent. Pour un tout-nu sorti du Bouchard, Traîne-Souche ne s'en était pas si mal tiré !

– Le nom de Frusquin te dit-il quelque chose ? murmura Bouzouk.

Traîne-Souche réfléchit, les yeux plissés.

– Il a été l'attifon du prince, autrefois. Zonzon l'a fait jeter du haut des remparts parce qu'il avait commis une faute de goût. Le prince est très sévère sur ce point.

– C'est pourtant lui qui m'a conduit ici. Ou son fantôme.

Ils n'eurent pas loisir de poursuivre. Des pas résonnaient. On pouvait les surprendre à tout moment. L'ancien Bougre entraîna Bouzouk jusqu'à un puits creusé dans la cour, s'y pencha. Il montra un gros seau de bois attaché à une corde, au-dessus du vide.

– Grimpe ! L'eau est cent coudées plus bas. C'est une rivière souterraine qui s'ouvre au flanc d'une falaise. Si tu es bon nageur, tu t'en sortiras. Adieu Bouzouk ! Que Gozar t'angegarde !

Bouzouk n'avait guère le choix. Les sept murailles compliquaient aussi bien la tâche des assaillants que celle des fugitifs. Une ultime accolade et il sauta dans le seau. Il vit longtemps la tête de Traîne-Souche se découper dans le rond de lumière. Puis il fut avalé par l'obscurité du puits et ne vit plus rien du tout.

Seulement la noirceur de son destin.

ON NAGEUR, BOUZOUK L'ÉTAIT. UNE FOIS PARVENU TOUT en bas, il plongea dans l'onde ténébreuse et se laissa emporter par le courant. Il ne fut plus alors qu'un bouchon aveugle, chahuté par les flots de plus en plus vifs. La roche le rudoyait par moments et, bigrefrisquet ! cent fois il crut geler sur pied tant l'eau était glacée. Lorsqu'il déboucha enfin à l'air libre, craché par la colline, il ne sentait plus son corps. Il tomba comme une pierre lourde dans un bassin creusé dix coudées plus bas par la chute d'eau, réussit à s'en extirper. Et s'évanouit.

C'est la chaleur du soleil qui l'éveilla.

Il regarda autour de lui, étonné d'être encore en vie. S'allongeant sur le dos, il laissa la lumière le caresser, l'étourdir même. Peu à peu, il sentit que ses membres engourdis s'assouplissaient de nouveau, que le sang lui battait sous la peau. Il aima cette impression de bien-être, qu'il avait oubliée. Sans être dupe, bien sûr. Le bonheur le fuirait désormais comme la peste, il le savait. Mais il avait refusé d'être un assassin et cela n'était pas rien.

– Tu ne t'en tireras pas à si bon compte, Martial.

Par Zout ! Qui parlait ? Qui l'appelait Martial ?

Il se redressa, tournoya sur lui-même, bondit de gauche, de droite. Il n'y avait personne alentour.

– Tu es tueur, fils de tueur. L'aurais-tu oublié ?

La voix résonnait autour de lui, l'enveloppait. Il en sentait les vibrations dans l'air. Il ne la reconnaissait pas.

– Montre-toi ! hurla-t-il.

– Es-tu bien sûr de le vouloir ? dit la voix derrière lui.

Un homme recouvert d'une capille sombre le regardait d'un œil de marbre. Son visage était exsangue, d'une effarante maigreur.

– Tu ne devines pas qui je suis ? murmura-t-il.

Bouzouk s'approcha, les poings serrés. D'où venait cet efflanqué avec sa figure de carême ?

– Peu m'importe qui tu es. Ce que tu dis me blesse.

– Le mot est malvenu dans ta bouche, Martial. Blessure, dis-tu ? Vois.

L'homme écarta lentement sa capille et Bouzouk eut un haut-le-corps. Sous l'étoffe, son torse nu était couvert de plaies béantes.

– Et tu n'as rien fait pour empêcher cela, Martial.

Surgit soudain une femme, qui vint s'appuyer sur l'épaule de l'homme. Elle était aussi pâle que lui. Du sang séché garnissait sa tempe et ses longs cheveux. Elle avait l'allure et les yeux de Miloska. Elle dit :

– Comment as-tu pu faire une chose pareille, Martial de Morte-Paye ?

Bouzouk vacilla, hagard.

– Et tu oses aimer notre fille ? cria Zsabor, tandis que Guelaivre sifflait :

– Sinistre assassin !

Le roi et la reine d'Assussie tremblaient de colère. Leurs voix stridentes s'entremêlaient. Bouzouk aurait voulu s'évanouir en fumerolles. Mais une autre voix claqua :

– Souviens-toi, gredard ! Tu as fouaillé mon cœur de ta lame ! Han ! D'un seul coup !

À côté de Zsabor était à présent un homme aussi haut que large, aux cheveux rouges, comme sa poitrine sanglante et fracassée. Le mercenaire d'Orgon qu'il avait tué jadis au pays de Médiome.

– Tu m'as fait bouffailler la poussière d'un pays qui n'était pas le mien, continua le soldard. Je fus ton premier crime. Mais combien en as-tu massacré par la suite ? Réponds, maudit freu !

Bouzouk reculait. Allaient-ils tous défiler ainsi et vomir leur venin ?

– Assez ! hurla-t-il. Retournez chez les ombres molles ! Laissez-moi !

Les poings sur les oreilles, pour ne plus les entendre, il courut droit devant lui, parmi les bois. Mais de nouveau il les vit se dresser sur la sente, de nouveau leurs langues sifflèrent. Et d'autres surgissaient, venus du monde des morts. C'était la sarabande des victimes d'autrefois, qui dansaient autour de lui. Il vit même se dandiner un chapelet de Poufs encordés.

Alors il ramassa un gourdin et se mit à frapper comme un furieux. Il frappa, frappa encore. Mais il combattait des ombres, et son bâton ne rencontrait que le vent et les rires. Il s'épuisa vite. Lorsqu'il fut sans force, il tomba à genoux.

– Tu entendras toujours la chanson de tes crimes. Pauvre, pauvre ami…

Frusquin était à ses côtés, agenouillé comme lui, et lui caressait la tête.

Bouzouk se dégagea d'un bond, effaré. L'attifon lui souriait, en tortillant ses mains, la mine désolée.

– C'est toi, fruquon ! Toi qui mènes cette horde de fantômes ! Toi qui n'es plus qu'une ombre molle, comme eux !

– Je suis celui qui te rappelle qui tu es.

La bouche souillée de rouge souriait d'un sourire hideux de gargouille. Bouzouk sentit monter en lui une effarante vague de haine. Qui submergea son cerveau, fit trembler ses mains. Cette créature était plus répugnante qu'une frouille, à s'acharner ainsi.

Ses doigts volèrent à la gorge de Frusquin. De tout son poids, il s'arc-bouta sur l'attifon et serra le cou malingre. Cette fois il sentait bien la résistance de la chair, la pulsation du sang. Cette ombre molle était d'une consistance bien humaine. Bizarrement humaine. Qui Bouzouk était-il en train d'étrangler ?

Il croisa les yeux de Frusquin et les vit qui riaient. L'attifon jubilait. On l'étranglait et il jubilait ! Bouzouk bondit en arrière, terrorisé. Il avait peur de comprendre.

– Tue-moi ! brailla Frusquin. Pétochion ! Allez, tue-moi !

L'infâme canaille ! S'il réclamait la mort avec gourmandise, c'était pour faire de Bouzouk un assassin. Par Zout ! il avait échoué avec Zonzon et s'offrait en pâture pour y réussir ! Sans risque, puisqu'il était déjà mort. Bouzouk avait éventé le piège à l'ultime moment.

– Je ne te tuerai pas, crapion ! lâcha enfin le jeune homme. J'ignore les raisons qui t'agitent, mais tu as encore raté ton coup.

Frusquin se tut, sa bouche fripée d'un mauvais pli. Puis, avec un rire suraigu :

– Tu ne m'échapperas pas, Martial. Je suis ton destin.

Et il se dissipa comme l'écume sur la vague.

CHAPITRE 9

BOUZOUK NE FUT PAS DUPE DE SA MAIGRE VICTOIRE. IL était la proie d'un jeu inconnu et il le resterait. Cependant il avait un répit.

En refusant pour la seconde fois de tuer, même cet attifon répugnant, il avait apaisé sa haine pour un temps. Mais elle reviendrait et, avec elle, la cohue des souvenirs, qui la nourrissait. Ce qu'il avait fait autrefois l'encapuchonnait comme une mantille de plomb.

Il resta longtemps assis sur un rocher surplombant l'eau, à y jeter des brins d'herbe, qu'il suivait des yeux. Il était comme eux, à la dérive.

Personne ne pouvait l'aider. Sinon à effacer son passé.

Ventrequeue ! une idée lui fouetta l'esprit. Une idée terrible, qui lui fit palpiter le pouls. Comment n'y avait-il pas songé plus tôt ? C'était lumineux – aveuglant, même ! Mais il fallait faire vite, et habilement car Frusquin y trouverait sans doute à redire. Pour cela, il lui fallait du secours.

Un nom émergea dans sa tête. Un des sept noms qu'il s'interdisait de prononcer depuis des lunes. Mais si quelqu'un pouvait l'aider sans le juger, c'était bien lui. Il se mordit les lèvres un moment encore, avant de murmurer plus bas qu'un souffle de moribond :

– J'ai besoin de toi, Grand Gourougou...

Il y eut un fracas de branches mortes et une voix tonna :

– Par la houpe d'Izare, mon garçon, j'ai bien cru que tu ne dirais jamais mon nom !

Le Grand Gourougou trottinait vers Bouzouk, les bras ouverts, sa bonne vieille figure plissée de joie. Même sa barbe riait. Il cueillit son ami de ses grosses mains et le serra contre lui.

– Tu m'as manqué, Bouzouk ! Fichtreblouse, ce que tu m'as manqué !

– Astoppe, vieux barbon ! Tu m'écrases les bronches ! pesta l'autre, mais les yeux lui picotaient.

Le mage reposa Bouzouk sur le rocher et le regarda de pied en cap.

– Tu as maigri, fils ! Je n'aime pas ça !

– Bah ! La ripaille attendra !

– Je sais ton malheur. Si je pouvais tricoter le temps à l'envers, je le ferais ! Hélas, mes pouvoirs sont impuissants à effacer les jours qui passent.

– Tu peux m'aider. Emporte-moi loin d'ici d'un coup de ta magie.

– Où veux-tu aller, mon ami ?

Bouzouk sentit que ses mots peinaient à sortir, et il dut faire un effort immense pour les dire :

– Je veux retourner dans le Cuvon des Bougres. Je veux qu'on me pille la mémoire comme autrefois.

– Es-tu fou ? éructa le mage.

– Peut-être. J'aimerais dormir la nuit sans ces maudits cauchemars !

La colère se saisit du vieux géant. Par l'os de Valadingo, ce pistounet commençait à l'encagasser ! Dormir, pour quoi faire ? Est-ce qu'il dormait, lui ? Qu'avait donc Bouzouk à se torturer le cœur avec son passé de soldard ? Se croyait-il le seul troue-bedon ? La mort des parents de sa promise ? La belle affaire ! C'était un acte de guerre ! De sale guerre mais quoi ! L'ordre venait du Kron ! Voulait-il qu'il lui raconte, lui, le Grand Gourougou, le mage de la cour, toutes les vilenies, tous les forfaits qu'il avait dû accomplir pour plaire à son souverain ? C'était lieu commun ! C'était...

– Paix, vieillard ! Cesse de m'assourdir avec tes grelots !

Bouzouk prit les mains de son ami décontenancé. Sa voix était de nouveau ferme.

– Crois-moi, il n'y a pas d'autre solution. Il me faut retourner là-bas. Sinon l'ombre molle de Frusquin m'emportera chez les assassins.

– Tant que je serai à tes côtés, rien ne t'arrivera.

– Voudrais-tu donc qu'on se mette en ménage ? Tu n'y penses pas ! ricana Bouzouk. Tes jacasseries me lasseraient vite.

Puis, sa bouche cessant de sourire :

– Emmène-moi. S'il te plaît.

Le mage vit bien que Bouzouk ne renoncerait pas. Il ronchonna contre les cabochards de son espèce. Des ingrats ! Des égoïstes !

– Qui sera Grand Gourougou quand j'irai dormir chez Gozar ? Qui ?

Puis il ouvrit un pan de sa capille et y enveloppa Bouzouk. Un clin d'orteil, hop ! et l'espace n'était plus rien, qu'ils parcoururent d'un bond. À peine le vent fit-il ondoyer leurs cheveux.

Maintenant ils étaient près d'un énorme boabab planté au bord d'un ravin. Le Cuvon s'étendait à leurs pieds. Bouzouk se mit à lorgner éperdument le grand chaudron verdoyant lové au milieu des falaises blanches. Jamais il n'aurait pensé revoir ce lieu ancien. Il le faisait avec une certaine tendresse.

– Elle est là, quelque part. La vois-tu ?

Non, le Grand Gourougou ne voyait rien ni personne. Que le pistounet ne compte pas sur lui pour qu'il distingue le moindre bout de M'mandragore, la pilleuse de mémoire !

– Descendons ! dit Bouzouk.

Le mage déploya sa capille, toujours bougonnant, et déjà ils foulaient le sol du Cuvon. Bouzouk était de plus en plus pâle, ses lèvres tremblaient. Il alla vers les trouyères, creusées dans la falaise, qui avaient servi de loges aux Bougres. À cause du Krabousse, ce maudit dragon à six pattes, c'était le seul endroit où vivre en sécurité.

Le Cuvon était toujours aussi touffu, planté d'épaisses fourmilles. En marchant, Bouzouk fouillait des yeux les environs, quêtant le moindre signe de vie. Mais ils parvinrent jusqu'aux trouyères sans rencontrer âme ni bête. La clairière, qui abritait autrefois le campement des Bougres, était déserte. Quelques pieux de bois se dressaient encore, des marmites gisaient çà et là. Mais l'herbe rousse avait tout envahi. Quant aux trouyères, elles étaient plus vides que le crâne d'un Bbogue.

– Tu perds ton temps, fils. Ta M'mandragore a dû être bouffaillée par le Krabousse. Elle était gradodue comme une ouffe.

– Cherchons encore !

Et le Grand Gourougou de grommeler, et Bouzouk de battre les broussailles de long en large. Soudain une odeur de charogne leur fouetta les narines. Bouzouk ne se souvenait pas d'en avoir jamais humé de semblable. Elle venait d'une ravine épineuse, non loin du Bouchard. Au fur et à mesure qu'ils s'en approchaient, un abominable cliquetis se fit entendre. Celui que font les frouilles lorsqu'elles nettoient un cadavre, songea Bouzouk en frissonnant.

C'était bien cela. Au détour de la sente, le spectacle les emplit de dégoût. Sur l'énorme squelette gisant dans l'herbe, une volée de frouilles se régalaient des derniers lambeaux de chair, avec des claquements de bec gourmands.

Le Krabousse avait vécu.

CHAPITRE 10

BOUZOUK APPROCHA L'ÉPOUVANTABLE CHARNIER, AFIN D'EN savoir plus sur la mort du dragon. Il se fourra dans les narines des feuilles de mélisse, et visita la dépouille. Les frouilles ne se dérangèrent pas, tout à leur pitance.

Chose singulière : le Krabousse avait été décapité. Bouzouk trouva l'énorme crâne quelques coudées plus loin. Quelle lame gigantesque avait pu le séparer du corps d'aussi belle façon ?

– Magie, mon garçon, dit le Grand Gourougou. Ou un dieu en colère. Pas moins.

Par Zout l'Ectoplasme ! qu'est-ce qu'un dieu viendrait faire dans un cul-de-basse-fosse pareil ? Bouzouk se sentait la tête embrumée comme jamais. Où donc pouvaient se nicher Un, Deux, Trois et leur matrone de mère ?

Ils poursuivirent vers le Bouchard. Bouzouk s'étonna du souffle d'air qui s'exhalait de la cavité. Pourtant les Bougres avaient maçonné le tunnel, jadis, avant de s'égailler dans la nature. Il en était sûr ! La conclusion était évidente :

– Ils sont là-haut ! Dans la grotte !

Le mage haussa les épaules, grognon. Pure hypothèse ! Peut-être était-ce quelque bête curieuse qui...

– Allons-y, Gourougou, dit simplement Bouzouk.

La capille s'entrouvrit une fois encore et ils furent dans une pénombre poisseuse, gorgée de fumée. L'antre était toujours le même, puant la boisissure, la graisse et l'urine de skonj.

Le Grand Gourougou avait eu soin d'apparaître dans un recoin plus sombre que les autres. Bien lui en prit, car la grotte était garnie de monde. Et quel monde, poutravorton ! Des Poufs ! Des Poufs par dizaines, qui gesticulaient, trottinaient, piaillaient à l'envi. Certains portant des grimoires, d'autres recousant des filets à petites mailles, en sifflotant. Jusqu'au moment où une voix brama :

– Roupillon ! Raboule avec ta meute de crapoussins ! Qu'on me trimbille jusqu'au gorail. J'ai de l'ouvrage et du gros !

Bouzouk sentit sa poitrine flamber. Cette voix-là était bien celle de la terrible gorelle. Une dizaine de Poufs s'engouffrèrent dans une brèche, au fond de la grotte, d'où venait l'ordre. À leur tête, Bouzouk reconnut le nommé Roupillon, qui l'avait capturé autrefois. Il y eut quelques « Han ! » et « Hisse ! » puis la troupe réapparut, portant M'mandragore. Une M'mandragore méconnaissable, incroyablement amaigrie, au visage cireux. Seuls ses deux petits yeux de porcasse n'avaient pas changé. Toujours luisants de cruauté, de cupidité. Ce fut le moment que choisit Bouzouk pour faire un pas en avant et rugir :

– Je te cherchais, mafflue !

Suffoqués, quelques Poufs lâchèrent la gorelle, qui retomba par terre, en écrabouillant les autres. Certes, elle avait sacrément fondu, mais pesait encore ses trois quintaux. Elle fixa sur Bouzouk deux yeux arrondis de terreur.

– C'est toi, chérubin ! glapit-elle.

Sa réaction fut surprenante. Comme une pucelle prise en faute, elle replia son bras pour masquer sa figure.

– C'est le Bbogue qui m'a forcée ! brailla-t-elle. Je ne voulais pas, moi ! Je le jure, chérubin ! Je ne voulais pas ! Mais il m'aurait foudroyée !

Que racontait cette ograsse ? Bouzouk s'approcha d'elle, qui geignait maintenant à pleine gorge.

– Je sais que tu es mage ! Épargne-moi ! Je me mettrai à ton service ! Je piponnerai le cerveau de tes ennemis ! Je...

– Cesse ! hurla Bouzouk. De quoi me parles-tu donc ?

L'autre écarquilla plus encore les yeux.

– On ne t'a rien dit ?

– Qui, « on » ? Quoi, « rien » ? Explique-toi !

Le Grand Gourougou surgit à son tour, sourcils broussailleux fort froncés. Un Bbogue, venait-il d'entendre ? Le mage flairait une machination de taille. Il tonna :

– Bavotte donc, ou je te change en bouse de pouaque !

Deux mages, dont un de six coudées, c'était trop pour M'mandragore. Elle débita d'une traite tout ce qu'elle savait en prenant soin de n'omettre aucun détail, afin de satisfaire ces deux rudes clients.

Tout débutait dans le chaudron, où la gorelle avait élu domicile avec Un, Deux et Trois – nullement de son

247

plein gré, comme l'on sait. Un jour que les fils promenaient leur mère en la traînant derrière eux, le Krabousse les avait pris. Tous les quatre, d'un seul coup, crac ! Il les avait emmenés dans sa tanière et, pour commencer, avait mangé Trois, parce que c'était le plus gras de ses marmousets.

Interrompant son récit, M'mandragore fut secouée de gros sanglots. Bouzouk et le vieux mage la laissèrent s'épancher un peu puis, ensemble :

– Poursuis, grondasse !

La voix entrecoupée de pleurs, la gorelle raconta comment le Krabousse avait croqué ses deux autres fils, devant elle. Lorsqu'il avait englouti l'ultime morceau de Un, son préféré, elle avait voulu mourir. Se traînant vers lui, elle s'était offerte en pâture. Mais non, le Krabousse la gardait en réserve. Il la mangerait plus tard, pendant l'hiver, quand le froid aurait fait fuir sous terre les petites proies. Elle avait vécu là une longue, longue lune, attendant sa mort.

– Presse ton récit, gronda Bouzouk, qui s'impatientait.

– Ouiche, angelot, ouiche. Un soir, voilà deux lunes, il y eut une grande lueur dans la tanière, et un Bbogue m'est apparu. Il avait un petit, un tout petit service à me demander, que moi seule pouvais lui rendre. En échange, il me débarrassait du Krabousse. Tope là ? Tope là, Grand Bbogue, j'ai dit, et merci bien. Le dragon ayant reniflé l'intrus, il voulut le bouffailler. Ni une, ni deux, l'autre lui trancha le col, zouipp, d'un trait de lumière. Je suis revenue dans la grotte en volant, tant était grande la magie de ce Bbogue.

– Et le petit service ?

– J'y arrive, chérubin.

Et justement la gorelle se taisait. Elle regardait le plafond de la grotte, époussetait son habit de cuir. L'œil paniqué. Puis, très vite :

– Le Bbogue m'a remis un grimoire, qu'il m'ordonna de falsifier. J'ai d'abord troqué un souvenir pour un autre. Puis j'ai introduit celui venu d'un second grimoire. Des souvenirs pillés à des guerriers du Kron, de retour de campagne, il y a belle lurette.

Bouzouk n'osait comprendre. C'était trop énorme, trop ébouriffant, trop...

– Ce grimoire, c'était le mien ? Réponds ! balbutia-t-il.

– Je n'oublie jamais ce que j'ai goré, l'angelot. Et il y avait ton nom sur le dos : *Martial de Morte-Paye*, suivi du chiffre *IV*.

– Et de quels souvenirs parles-tu, peau-de-courge ? criait le Grand Gourougou, qui trépignait sur place.

Dans le soudain silence, on entendit brinquebaler le cœur du jeune homme. Et M'mandragore acheva de cracher son histoire :

– Le premier était celui d'un soldard de l'armée de ton père – un troue-bedon de la pire sorte. Le second souvenir appartenait à un déserteur, devenu mercenaire en Assussie : celui-là faisait de toi le chef des assassins du roi Zsabor et de la reine Guelaivre.

Elle poussa un énorme soupir avant de conclure :

– L'angelot est innocent de ces crimes.

Bouzouk tomba à genoux, la poitrine en fanfare. Son calvaire était clos, enfin.

Cinquième partie

La renaissance

Chapitre 1

À VOIR BOUZOUK SANGLOTER AINSI, VAUTRÉ DANS LA poussière, il vint des larmes à tout le monde. Au Grand Gourougou, bien entendu, aux Poufs, qui sont pourtant des brigands impitoyables ; et même à M'mandragore, mais la gorelle larmoyait sans doute plus sur son sort que sur celui du chérubin.

Bouzouk pleurait sans retenue. La colère, l'impuissance et la haine qui le broyaient depuis si longtemps s'en allaient avec ses larmes. Voilà qu'il retrouvait une immense envie de vivre, d'aimer. De s'aimer, aussi. Il n'était pas l'assassin qu'il avait cru être.

Bien sûr, ce qu'il venait d'apprendre n'effaçait pas ses misérables rapines. Il restait un jeune homme au passé de gredard, ayant pillé plus que de raison. Il lui faudrait apprendre à vivre avec ces souvenirs-là. L'amour l'aiderait.

D'évoquer sa promise le fit bondir.

– Il faut trouver Miloska ! rugit-il. Tout de suite !

Le mage, attendri, le calma d'une main sur l'épaule.

– Plus tard, jeune coquouillon. Je sais où la trouver, et tes compagnons. La gorelle a encore des choses à dire. Pas vrai, greluche ?

– Moi ? grogna M'mandragore. Pas un mot, ô mage.

On lui demanda pourtant de décrire le Bbogue, ce qu'elle fit. Aube grise, capuchon n'abritant qu'un trou noir, voix tonnante. Mmalvil, à coup sûr, commenta Bouzouk. Pourquoi ce maudit sorcier avait-il truqué son grimoire ? Et quel rôle avait joué Cul-Jaune dans cette histoire ?

M'mandragore n'en savait fichtre rien, ni les Poufs.

– Il y a du Ggrok là-dessous, dit sentencieusement le Grand Gourougou.

Sans nul doute, Ggrok manigançait quelque chose, mais quoi ? Son autorité se bornait pourtant au Cloaque de l'Empire des ombres molles, les Marais-Puants. Qu'avait-il à faire du passé d'un jeune homme ? L'affaire était louche, songeait Bouzouk. Mais aujourd'hui, il se contenterait de questions sans réponse. Il allait rejoindre Miloska et les autres. Pour le reste, on verrait plus tard.

Et M'mandragore ? Par l'occiput de Gozar ! L'ograsse et sa harde de Poufs devaient cesser de nuire une fois pour toutes. Pas question que le Cuvon se remplît encore de Bougres !

M'mandragore saisit parfaitement ce qui se passait dans le crâne de Bouzouk. Sûre d'elle, elle prévint :

– Moi seule sais comment démêler tes faux et tes vrais souvenirs. Tu auras besoin de moi lorsque tu retrouveras ton quatrième grimoire, angelot.

La matrone était habile. De plus, elle jura que la mort de ses trois fils avait fait d'elle une vieille outre sèche et qu'elle ne gorait plus personne. Quant aux Poufs, ils lui tenaient compagnie, rien de plus.

– Tu mens et ramens pis que tripotard ! siffla Bouzouk.

– Laisse-moi faire, fiston ! gloussa le vieux mage qui, d'un mouvement d'orteil, hop ! obstrua toutes les ouvertures de plomb fondu. Sauf celle du troupirail, l'entrée du Bouchard, afin que l'air frais circulât. Poufs et gorelle étaient embastillés.

– Je t'attendrai, mon angelot, roucoula M'mandragore, résignée.

Bouzouk s'abrita une fois de plus dans la capille du mage. Cette fulgurante façon de courir le monde le comblait, lui qui avait du temps à rattraper.

– Mène-moi près de la compagnie, Gourougou, murmura-t-il.

En un tournemain, ils rejoignirent le désert de Fouk-Fou, que Bouzouk reconnut immédiatement. Un mirage pareil, ça ne s'oubliait pas ! Mais pourquoi le Grand Gourougou l'amenait-il chez lui ?

Bouzouk crut que ses yeux allaient rouler de ses orbites. Par Zout la Limace ! Ils étaient presque tous là ! Mille-Mots, Gorge-Vermeille, les deux Bougres. Et bien sûr Ganachon qui, l'ayant vu le premier, filait joyeusement vers lui. Les quatre autres le suivirent de près, dégringolant la pente rocailleuse en hurlant des hourras, des « Vive le pistounet ! » et autres piailleries.

D'un bond, Bouzouk enfourcha Ganachon, et tous deux firent des cabrioles au milieu d'une ronde de compagnons qui chantaient à tue-tête, qui larmoyaient copieusement. Puis l'un après l'autre, ils l'étreignirent et lui dirent combien il leur avait manqué.

– Sans toi, mon mignard, j'ai le cœur à sec, murmura Bel-Essaim.

– Et moi, la langue pleine de trous, ricana Mille-Mots.

Bouzouk fut ému. Tant d'amitié et d'amour l'engorgeait de bonheur.

– Pourquoi m'attendre ici ? demanda-t-il.

Et Ganachon conta que, las d'espérer des nouvelles qui ne venaient pas, ils avaient songé au Grand Gourougou. Qui pouvait mieux que lui retrouver un Bouzouk égaré ? Ganachon, connaissant son repaire, les y avait conduits. Le mage était comme eux, rongé d'inquiétude. Bien sûr qu'il savait où était le jeune homme ! Du haut de sa corniche, il le suivait des yeux, grâce à sa lorgne-bigle magique. Fidèle à sa promesse, il n'était intervenu qu'en entendant Bouzouk prononcer son nom.

Voilà, il savait tout.

Personne n'osant lui demander la raison de son retour, Bouzouk l'expliqua. Les vivats redoublèrent. Leur ami était guéri de son passé ! Le pistounet n'était pas le troue-bedaine qu'il croyait !

— Nous n'avons jamais douté de toi, dit Mille-Mots.

— Jamais ! beugla Bouffe-Bœuf, tandis que Gorge-Vermeille ajoutait :

— Ton âme est trop belle pour avoir déraillé si fort, rouquin. Occire les parents de ta promise ne te ressemblait pas, décidément !

Seule Bel-Essaim regretta une seconde, rien qu'une seconde, que son mignard fût innocent de ce crime-là. Comme elle l'aurait consolé…

Puis, les embrassades finissant, Bouzouk posa au mage la question qui lui carbonisait la langue :

— Où est ma Miloska ?

Le Grand Gourougou eut un petit gloussement gêné.

— Ta princesse est à l'abri, fiston, bien à l'abri. En toute sécurité.

Bouzouk trépignait, agacé.

— Par Kabok, sois plus clair ! Où est-elle ?

— Dans un endroit sûr, plus que sûr, te dis-je !

Et comme le visage de Bouzouk s'empourprait de colère, le mage lâcha enfin :

– Un couvent. Miloska s'est faite novice au clos d'Onzelle, en Assussie.

CHAPITRE 2

Novice ! Fouchtradieu ! Miloska novice ! Bouzouk suffoquait, incrédule. Sa princesse enveloppée de bure grise... Bientôt le crâne rasé sous la cornette... Comme si cela ne suffisait pas avec la réclusion de sœur Silence, sa propre mère !

Il se précipita sous la capille du mage en clamant : « En Assussie, Gourougou ! En Assussie ! » et, parce que l'autre n'obéissait pas assez vite, lui donna des coups de pied dans les tibias. Le vieux géant ne broncha pas.

– Plus tard, fils, quand tu auras retrouvé ton grimoire, grogna-t-il. Pour l'instant, quelle preuve as-tu de ton innocence ?

– Elle me croira sans preuve, barbon ! Elle m'aime et je l'aime !

– Vous avez trop souffert l'un et l'autre pour vous payer de mots, mon garçon. Trouve d'abord ton grimoire.

Tous les autres opinèrent. Le mage parlait d'or. Ganachon, qui semblait en savoir plus que les autres, ajouta qu'affronter les Bbogues allait être périlleux. En la tenant éloignée, Bouzouk épargnerait à sa bien-aimée d'innommables dangers. L'argument porta, Bouzouk consentit.

– J'irai, moi, en Assussie, dit le Grand Gourougou. Je parlerai à Miloska. Elle t'attendra.

– Je suis sûre qu'elle t'attend déjà, murmura Bel-Essaim, dans un sanglot.

Pourquoi fallait-il que les plus belles fêtes fussent sans cesse gâchées ? pensait Bouzouk, dépité. Il avait tant espéré revoir Miloska. Tant espéré l'embrasser, la câliner, lui dire et redire des mots d'amour. Tant rêvé.

– Je lui dirai tout cela en ton nom, fils, dit le Grand Gourougou, qui lisait ses pensées.

Et il s'envola.

Ganachon s'approcha, l'air grave. L'air de celui qui sait des choses.

– Après ton départ, cavalier, nous avons cherché le grimoire, que tu avais jeté dans le ravin. Disparu. Comme celui que tu nommes Mmalvil, que j'ai vainement poursuivi.

– Tu étais comme une furie d'orage ! Pourquoi ?

– J'avais mes raisons. Mais j'ai trouvé quelqu'un d'autre, blotti dans les fourmilles : notre ami Cul-Jaune, à moitié calciné, mais vivant.

Bouzouk haussa les sourcils. Ainsi, Cul-Jaune avait échappé aux flammes et à Mmalvil.

– Il nous attend en lieu sûr. Avec mille raisons de trahir son chef. Sa faim de vengeance lui danse dans les yeux. Le crapion est prêt à tout.

– Par exemple ?

– Nous faire pénétrer dans le temple de Ggrok.

Bouzouk sursauta. Forcer la forteresse des Bbogues ! À coup sûr, Mmalvil y serait. On lui ferait tout cracher de ce fichu complot et du grimoire. La chance tournait-elle définitivement ? Bigrebol, ça y ressemblait. Ganachon avait fait du beau travail.

– Le hasard, cavalier. Et un Bbogue plus bavottard que les autres, friand de revanche.

– En route, par Gozar ! tonna Bouzouk.

Peu importait la nuit qui tombait. L'instant suivant, tous chevauchaient Ganachon, droit au nord, vers le palais du Kron – en direction du bois d'Orman où, niché dans une souche creuse, Cul-Jaune vivotait depuis deux lunes. D'après Ganachon, il grappillait des baies, buvait l'eau d'une source proche. Un Bbogue mange peu, surtout incendié par moitié.

L'équipage arriva à l'aube, après une cavalcade sans trêve, et trouva Cul-Jaune à l'endroit prévu. Il avait triste mine. Sa peau n'était plus qu'un ramassis de cloques noirâtres, il claudiquait. Mais le Bbogue trépignait d'impatience. Cela d'autant plus qu'il avait perdu tous ses pouvoirs, carbonisé qu'il était. Le seul qui lui restait, c'était celui de nuire à son ancien maître.

– Mène-nous au temple, dit Bouzouk. Hâte-toi.

Gorge-Vermeille le hissa sur la croupe du cheval, où on le cala entre Bouffe-Bœuf et Mille-Mots. Ses yeux luisaient de fiel. Il montra l'orée du bois d'Orman, qu'on devinait dans le soleil levant. Une fois sorti de la forêt, Ganachon trotta à la lisière des arbres, jusqu'à un trou d'eau, que lui désigna Cul-Jaune.

Les crapauds y pullulaient, fort bruyants. L'eau était couverte de feuilles mortes, de lentillons verdâtres. Bouzouk fit la moue. Comme les autres, il aurait préféré porte de bois ou escalier. Nul doute, les Bbogues aimaient les cloaques fétides. Chacun mit pied à terre et s'apprêta à plonger. Cul-Jaune d'abord, qui ouvrait le chemin. Puis Bouzouk, suivi de Ganachon.

Aucun ne fit d'éclaboussure, ni de rond dans l'eau. L'onde verte resta immobile. Mais lorsque les autres, Bouffe-Bœuf en tête, les imitèrent, il y eut quatre plouf dans l'eau puante. Ils goûtèrent la vase du fond, et les têtards leur collèrent aux chausses.

Cul-Jaune avait déjà refermé la porte du temple. Il expliqua qu'une meute pareille aurait alerté les Bbogues. Bouzouk opina ; il n'aimait pas mêler ses amis à de trop grands dangers. Ganachon excepté, car le cheval semblait aussi concerné que son cavalier. Mmalvil faisait sans conteste l'unanimité contre lui, chez ses trois visiteurs.

Cul-Jaune connaissait bien les lieux et, en croupe devant Bouzouk, mena rondement l'affaire. On évita les labyrinthes et autres embûches propres à décourager l'intrus. Rasant les murs, on enfila des corridors secrets, pour parvenir sans encombre au chœur du temple. Les sabots de Ganachon, que Bouzouk avait bandés de chiffons, ne faisaient aucun bruit sur les dalles. Enfin Cul-Jaune montra une porte sombre, ornée d'un masque grimaçant. « L'antre du gredard », murmura Bouzouk. D'après Cul-Jaune, Mmalvil y passait le plus clair de son temps.

On décida d'entrer à la volée et, profitant de la surprise, d'immobiliser l'ennemi par quelque magie, voire une salve de crocrottins. Le plan était des plus simplets, mais pouvait réussir. Une fureur tranquille luisait dans les yeux de Ganachon, qui sentait son heure poindre.

Bouzouk vérifia un à un ses orteils, les massa. Tout allait bien. La peau un peu moite, peut-être. Ils entrèrent.

À l'intérieur, ça fourmillait de Bbogues en train d'avaler leur brouet.

Par Zout le Pluchon ! Cul-Jaune s'était entortillé les souvenirs ! Ici, c'était la cantine du temple.

CHAPITRE 3

FACE À UNE HORDE DE CENT BBOGUES BRANDISSANT fourchettes et couteaux, les intrus ne faisaient pas le poids. Un duel de magie, à cet instant, n'aurait eu aucun sens. Il fallut fuir. Ganachon caracola tant et si fort que le trio réussit à prendre quelque avance.

Ce fut une rude poursuite. Fuyards et poursuivants cavalant parfois sous les arcades du cloître, éclairées de torchères, parfois dans l'obscurité d'un corridor. C'est là, hélas, que le front de Bouzouk percuta de plein fouet la voussure d'une porte. Il tomba sans que Ganachon s'en aperçût. Assommé net. Il était fait comme un pouaque.

La meute des Bbogues s'en saisit, le garrotta. Comme on se rappelait ses exploits de mage, on lui englua les pieds de résine, pour l'empêcher de nuire. Puis, tandis que les autres continuaient leur traque, deux Bbogues le traînèrent jusqu'au chœur du temple, où méditait leur chef. Lorsque le jeune homme reprit connaissance, il en franchissait le seuil.

Le chœur avait la forme d'un puits. Il était parfaitement circulaire, et tapissé de livres. Des milliers de livres, serrés les uns contre les autres, jusqu'au plafond noir comme un ciel de nuit.

Mmalvil était assis à une table, penché sur un grimoire. Bouzouk fut jeté à terre et la porte se referma. Il y eut un silence interminable, pesant le plomb. Puis l'encapuchonné se retourna d'un coup. Bouzouk ne put s'empêcher d'avoir un haut-le-corps, à la vue de ce trou béant en place de figure.

– Que viens-tu chercher ici ? siffla Mmalvil. Ton grimoire ? La mort ? Je vais te donner l'un et l'autre. Ils n'ont plus d'intérêt pour nous.

– Nous ? Je ne comprends pas, murmura Bouzouk. Dis-moi la vérité. Qui es-tu ?

Mmalvil s'approcha.

– Tu me reconnais, ami ?

Une ombre blanchâtre surgit du trou noir, et serpenta dans l'air avant de se dresser devant Bouzouk.

– Frusquin !

– Ouiche ! Et celui-là ? continua la voix.

La silhouette de Boute-Bac était sortie du capuchon, se rangeait à côté de l'autre. Puis d'autres formes se succédèrent, crachées par le gouffre sombre. Bouzouk reconnut Perce-Croupe, le maréchon du prince Zonzon, les chasseurs poursuivant Frusquin, un riflar…

– Voilà qui je suis, freu ! Et bien d'autres, dont je te fais grâce ! J'ai été ceux qui t'ont poussé à devenir un fieffé gredard ! Et aussi ceux que tu croyais tes propres fantômes, revenus te hanter ! Souviens-toi !

Apparurent Guelaivre et Zsabor, les parents de Miloska ! Un mercenaire d'Orgon ! Toutes les ombres molles dont Mmalvil, par sa grande magie, avait usurpé le corps.

– J'ai failli réussir ! Avec Zonzon, d'abord ! Puis tu as été à deux doigts de m'étrangler ! De basculer enfin du côté des seuls assassins qui vaillent : ceux qui tuent de sang-froid ! Par Rrôdar ! Je n'ai pourtant pas ménagé ma peine ! Le cauchemar de ta princesse, le sacrifice du pouaque au palais du Kron, le puits qui s'ouvre pour que tu entres ici et entendes parler du Bbogue prétendument disparu ! Tout ! J'ai tout organisé pour qu'enfin tu trouves ton grimoire truqué. Tout fait pour que tu deviennes la proie de Ggrok, mon maître. Il n'aime, dans ses Marais-Puants, que les gredards et les assassins !

– Pourquoi ? hurla Bouzouk. Pourquoi ?

– Tu le demandes, fripard ! Tu as volé une ombre molle à Ggrok. Celle de la Krone ! T'en souvient-il ? Tu la lui dois ! Et c'est la tienne qu'il veut en échange !

– Très flatté, merci.

Tout s'éclairait. Bouzouk avait été le jouet de Ggrok, dont l'exécuteur était ce sinistre encapuchonné. Une telle machination pour récupérer, le jour venu, sa modeste ombre molle ! Les dieux avaient décidément du temps à perdre ! À présent, ayant à moitié raté son coup, le Bbogue allait le foudroyer.

Où donc irait son ombre molle ? Dans le Cloaque de Ggrok, ou chez Izare, parmi ses Plaines-Rieuses ? Qui l'emporterait ? Son passé de gredard ou celui de trouva-mour ? La mort seule lui apporterait une réponse.

Mais il devrait attendre un peu, Mmalvil étant heureusement bavard ! Le Bbogue se régala d'expliquer les détails du complot. Il dit comment Cul-Jaune avait servi d'appât, et pourquoi il l'avait carbonisé – ce crétin affrontant Bouzouk, alors qu'il aurait dû s'enfuir. Bêtise de Bbogue ! Mmalvil raconta aussi comment le grimoire, jeté dans le ravin par Bouzouk, était revenu au temple par magie, avec deux ailes de papier. Personne ne devait le trouver, surtout ! Que Gozar ait eu vent du trucage et Ggrok eût passé un mauvais quart d'heure, tout dieu qu'il fût.

Il avoua enfin que le grimoire était depuis longtemps au temple. Un Bbogue l'y avait rapporté de Zoleil, après une campagne de prêche chez les zoliers. Mmalvil avait rangé l'ouvrage parmi sa bibliothèque. Quand Ggrok avait voulu nuire à Bouzouk, alias Martial de Morte-Paye, il s'en était souvenu à propos. Il avait une mémoire d'archiviste, lui.

– Les rayonnages que tu vois croulent sous les volumes, que mes Bbogues grappillent ici et là pour moi. Ils ne lisent pas, n'écrivent pas. Moi, oui. Grâce à quoi, dominer ces crânes-creux stupides m'est facile.

Il se tut après avoir gloussé : « J'ai trop parlé. »

Alors, avec un sifflement strident, les apparitions s'engouffrèrent l'une après l'autre dans l'ombre du capuchon. Mmalvil récupérait son petit peuple. Bouzouk se raidit. L'heure venait. Il pensa très fort à Miloska.

Mais Mmalvil s'agenouilla près du jeune homme. Il trancha ses liens, fit fondre la résine qui entravait ses pieds.

– Il me déplaît de te carboniser comme un vulgaire grelon sans défense. Tu mérites une mort plus plaisante. Je propose un duel. Certains te nomment Petit Grogougou, je crois...

– Gourougou, blettard ! Et disciple du Grand Gourougou ! Le plus grand mage de l'univers !

– Cesse tes couenneries ! Ton Grangougou est un charlatan de basse-fosse ! Un pet de pouaque ! Sa magie ne vaut rien à côté de la mienne, que Ggrok m'a enseignée lui-même.

Derrière eux la porte s'ouvrit soudain et Cul-Jaune s'encadra sur le seuil, tenu fermement par un Bbogue.

– Te voilà, moitié d'étron ! Viens donc !

L'air siffla et Cul-Jaune, avec un hurlement atroce, fut aspiré dans le capuchon. L'autre Bbogue, terrorisé, s'enfuit dans le couloir. Mmalvil avait l'art d'impressionner ses troupes, songea Bouzouk.

Et Ganachon ? Allait-il lui aussi être conduit devant l'encapuchonné et disparaître dans le trou noir ? Le jeune homme regrettait de l'avoir amené dans ce repaire maudit.

– Alors, ce duel ? rugit-il d'une voix claquante, les orteils en bataille.

– Je suis prêt, freluque ! ricana le capuchon.

Au même moment, les murs se mirent à trembler, et des livres chutèrent, des planches, des pierres. Quelque chose tentait de pénétrer le chœur, sans passer par la porte.

Chapitre 4

C E FUT DANS UN NUAGE OCRE, AU MILIEU DES GRAVATS ET des livres que la silhouette de Ganachon surgit. Ses yeux rougeoyaient, sa queue fouettait l'air. Deux signes de grande colère.

Mmalvil, sûr de lui, ne tourna même pas la tête, fixant son adversaire. La magie de Bouzouk était dérisoire. Faire chuter des livres, quelle pitié !

– Je te retrouve enfin, mon cher frère ! dit Ganachon.

Cette fois, Mmalvil pivota, découvrit le cheval et, après une seconde de stupéfaction, éclata de rire.

– Toujours aussi grotesque, Gueule-d'Ange ! Après tout ce temps !

– Mille ans, Poupin. Seulement mille ans !

– Ne m'appelle pas Poupin ! Mon nom est Mmalvil !

Bouzouk, éberlué, regardait l'un, puis l'autre. Ganachon et le Bbogue, deux frères ? Par Zout le Binoclard ! c'était à n'y rien comprendre.

– Que veux-tu ? grogna Mmalvil. Ton sort est réglé et tu ne peux rien contre moi. Alors ?

– Je peux, Poupin, je peux !

Ganachon s'approchait du Bbogue, à le toucher. L'autre ne bronchait pas. Le capuchon exhalait un souffle glacial.

– Quoi donc ? Me donner une pauvre ruade ? Me croquiner la bure ? Je ne suis que l'ombre de Ggrok sur terre, Gueule-d'Ange. Juste un passage, comprends-tu ? Il n'y a rien sous mon aube ! Rien ! Je suis un gouffre béant ! Un abîme !

– J'ai ici de quoi le remplir ! dit Ganachon, dont les yeux flamboyaient.

Il fit volte-face et, braquant ses énormes fesses vers le Bbogue, tira une salve de crocrottins, puis une deuxième, une troisième. Chaque crocrottin s'engouffrant dans le capuchon avec une précision mortelle. Mmalvil vacillait sous l'impact, tentait de se protéger avec les bras, dérisoire, comme s'il oubliait qu'il était mage.

– Tu vas enfin devenir ce que tu es, Poupin ! Un sac de fiente !

Ganachon expulsait ses crocrottins de plus en plus vite et le Bbogue se remplissait ! Se remplissait ! Il devenait énorme, son aube enflait comme un baudruchon. Jusqu'à ce qu'enfin le capuchon dégorge de fiente.

– À toi, Bouzouk ! hurla Ganachon.

L'ombre de Ggrok était devenue matière, et donc vulnérable. Le Petit Gourougou remua l'orteil, hop ! et Mmalvil éclata en fines particules de crocrottins, qui tourbillonnèrent une seconde avant de disparaître, *vlaoufff* ! dans un épouvantable bruit d'évier se vidant de son eau. Il n'y avait plus d'aube grise, plus de capuchon. Seulement une indescriptible puanteur, et des relents d'air glacé, qui s'évanouirent peu à peu.

– Ventrebourde ! Ça n'a pas marché ! grogna Ganachon.

– Comment ça, pas marché ? Mais ce grondin est parti en fumaille !

– Je suis toujours canasson. J'aurais aimé avoir cinq doigts à chaque main, comme autrefois, et une tête à chapeauter. Je pensais qu'avec la fin de ce frouard, le sortilège cesserait. Il n'en est rien. Maudit soit mon destin !

Le regard de Ganachon s'était voilé, il semblait las, amer. Bouzouk murmura :

– Qui donc te… ?

– Laissons cela, cavalier. Fouille parmi les livres. Ton grimoire doit s'y trouver.

Bien sûr, il avait raison. Le quatrième grimoire reposait paisiblement entre un traité d'alchimie et un roman d'amour. Mmalvil était un singulier lecteur.

La couverture du grimoire avait quelques éraflures fraîches. C'était bien celui que Bouzouk avait jeté dans les ronces du ravin. Il le serra sous sa chemise, contre sa peau. Il ferma les yeux, respira très fort.

Ganachon lui toucha doucement l'épaule.

– Monte en croupe.

Et comme Bouzouk hésitait, songeant à l'homme que le cheval avait été :

– Mille ans sur quatre jambes, ça forge l'échine. Je peux encore te porter.

– Tu me raconteras, mon ami ?

– Plus tard, cavalier. Quand tout sera fini.

Derrière eux il y eut des murmures, des cris d'oiselet. Les Bbogues entraient un par un dans le chœur, les épaules basses. Anéantis par l'épouvantable spectacle du vide. Sans leur chef, ils n'étaient plus rien. Qui dicterait leur loi ? Qui désignerait les prédicateurs, les égorgeurs de pouaques ?

– Ggrok va devoir recruter, dit Ganachon. Il trouvera, comme il a trouvé mon frère voilà mille ans...

Restait maintenant à sortir du temple. Cul-Jaune n'était plus là pour les guider.

– Ce fieffé mouchiard ! pesta Ganachon. Alors que l'ombre d'un porche nous cachait, il s'est mis à appeler ses frères, dans un remords tardif. J'ai dû m'en délester pour leur échapper.

Le grimoire calé sur sa peau, Bouzouk ne craignait rien ni personne. D'un clignement d'orteil, hop ! il fit venir aux Bbogues un groin de crapouille. Hop ! les affubla d'un panaris à chaque doigt. Enfin il menaça de les changer en grabon s'ils ne lui montraient pas où était la sortie.

Les Bbogues n'étaient plus que des pantins. Quelques-uns, parmi les plus lâches, se mirent à trottiner vers l'entrée d'une tourelle, où un escalier s'ébauchait. Dès qu'il eut mis un sabot sur la première marche, Ganachon s'éleva avec son cavalier à une allure vertigineuse. Ils débouchèrent au flanc d'une colline baignée de lumière, qui dominait le bois d'Orman.

La chaleur de l'air les enveloppa. Après l'atmosphère empuantie du temple, c'était d'une douceur exquise. Ils virent leurs compagnons près du trou d'eau, à la lisière des arbres, et qui les attendaient. Braves amis ! Ils n'avaient pas bougé. Fidèles, toujours.

Ils dévalèrent la pente herbeuse quatre à quatre, Bouzouk la tête délicieusement remplie de Miloska. Il allait la revoir bientôt, ventrecœur ! On embrassa le pistounet, brailla, chanta. Ce fut liesse et folie, Ganachon excepté, chagriné qu'il était.

– Filons chez M'mandragore ! hurla Bouzouk. Qu'elle piponne le grimoire, et vite ! Par Kabok, la route va être longue jusqu'en Assussie.

– L'amour se rit des distances, mon garçon, gloussa Mille-Mots d'un air mystérieux.

– Bien dit, scribrouillon ! tonna une voix derrière Bouzouk.

Le Grand Gourougou venait de se matérialiser. Sous sa capille, qu'il ouvrit d'un geste grandiloquent, il y avait Miloska.

Bouzouk ouvrit la bouche, la referma, et ses mollets s'amollirent tant qu'il crut tomber. Pourtant il courut vers sa princesse, les yeux pleins d'eau tendre, et elle courut vers lui sans un mot, la bouche tremblante. Leurs deux corps en se joignant firent un drôle de bruit, comme deux vagues à la rencontre l'une de l'autre. Bouzouk n'en croyait pas ses yeux, ni ses bras, ni ses mains. Il l'enserrait à la rompre, et Miloska respirait l'odeur de sa peau, de ses cheveux.

Lorsqu'elle s'évanouit enfin de bonheur, sa robe de novice fit une tache claire sur le sol de mousse bleue.

CHAPITRE 5

AYANT RANIMÉ SA PRINCESSE ET SÉCHÉ SES PLEURS, Bouzouk remercia mille fois le Grand Gourougou. Le mage haussa les épaules.

– Par Gozar ! gloussa-t-il. Ta promise est plus têtue qu'un groulache.

Et de raconter comment, à peine évoqué le grimoire falsifié, Miloska avait exigé qu'il la transportât près de son Bouzouk chéri.

– Exigé, fils ! Comme si j'étais une chaise à porteurs !

Ils avaient quitté le clos d'Onzelle sur-le-champ et surgi près du trou d'eau, où se morfondaient les autres. C'est ensemble qu'ils avaient attendu.

Tous rirent, même Ganachon, qui avait retrouvé un semblant de bonne humeur. Même Bel-Essaim. Les deux tourtereaux étaient côte à côte comme une paire de mailles, la compagnie réunie au grand complet ; il y avait de quoi se pavoiser le cœur.

Sinon que Bouzouk avait encore de l'ouvrage et du rude.

La troupe se mit en route vers l'ouest, vers la grotte scellée au plomb fondu. Sans avoir cette fois recours à la capille du Grand Gourougou, qui prétendait avoir des crampes aux orteils tant on avait usé et abusé de lui. On lui offrit une place sur Ganachon et ce furent sept cavaliers qui chevauchèrent à travers le bois d'Orman.

Ils bavardèrent tout le long du chemin, cahin-caha, se contant l'un l'autre leurs aventures. Bouzouk tenta bien de faire parler Ganachon de son passé d'homme, mais le cheval fit la sourde oreille. Plus tard, disait-il. Chacun bouillait d'impatience de savoir, mais on respecta son silence.

Ils parvinrent à la grotte bien avant le crépuscule. Le Grand Gourougou, hop ! d'un coup de ses orteils las, en déboucha l'entrée. Puis, Bouzouk en tête, brandissant son grimoire, la compagnie entra.

– Es-tu là, ograsse ? tonna le jeune homme.

Nulle réponse, sauf les quatre mots résonnant comme clochailles. Tout le monde s'y mit, lançant des « Mafflue ! », des « Vieille baderne ! ». Rien. M'mandragore et ses Poufs avaient disparu, ou se cachaient fort bien. Quelle était cette sinistre farce ? Le Grand Gourougou se tripotait la barbe en répétant :

– Il y a du Ggrok là-dessous…

– Tu radotes, barbon ! grogna Bouzouk, agacé.

Miloska huma l'air. Cette odeur de charogne lui rappelait quelque chose. Par Ô ! Elle savait !

– Il y a du Ggrok *ici même* ! hurla-t-elle.

Alors se leva un tourbillon monstrueux qui les jeta tous à terre, la face dans la poussière. Comme si quelqu'un les contraignait à se prosterner. Le sol trépida vivement, et l'air s'échauffa. Miloska avait raison : Ggrok était dans la place.

Et pas seul, bigrefloppe ! Lorsque Bouzouk et les siens relevèrent la tête, ce fut un bataillon terrible qu'ils virent. Autour de Ggrok, qui les dépassait d'au moins deux coudées, se tenaient Rrôdar et Ddrôg, Bbâb, Pprûut. Sans oublier l'infâme Mmolloche et sa horde de Bbroins. Tous ceux que Bouzouk connaissait, ou avait rencontrés en Terre-Noire. Plus quelques autres, à gueule fulminante.

Bouzouk tenta de se relever, mais un poing invisible le plaquait sur le sol.

– Inutile, fiston, murmura le Grand Gourougou. La magie de Ggrok est supérieure. Tente de ruser.

– Ruser ? Par Zout le Capochon ! j'aimerais être face à mon ennemi, pour le combattre, hurla Bouzouk. Entends-tu, lézardon ? Au lieu de m'ôter les jambes, ôte-moi l'odorat, car tu pues la charogne !

Le discours plut. Ggrok permit que Bouzouk se relevât, et lui seul. Le jeune homme ne trembla pas devant la face sombre aux yeux de reptile. Ou pas plus que nécessaire.

Les cheveux du dieu ondulaient en sifflant. Il souriait.

– Je n'aime pas les héros, roucrin. Encore moins quand ils m'échappent.

– Tu es mauvais perdant, Ggrok. Nous avons joué, j'ai gagné.

– C'est moi qui fais la loi, bâtard ! Moi qui décide qui gagne et qui perd !

– Alors pourquoi viens-tu jusqu'en Kronouailles, chez les freux, avec ta meute de pueux ?

– Parce que tu m'as offensé en mon royaume, autrefois ! Toi, un pis-que-pouaque ! Et que tu récidives en faisant disparaître Mmalvil !

Le dieu fit un pas en avant. Son énorme corps couvert d'écailles irradiait une chaleur atroce. Suffoqué, Bouzouk tomba à genoux.

– Plie, gredard, plie ! Tu me dois une ombre molle d'assassin ! Comment vas-tu payer ton solde ?

Comme Bouzouk était bien en peine de répondre, Ggrok se pencha et cueillit Miloska, d'un geste presque délicat.

– Avec une autre belle âme ?

– Si tu la brûles, brûle-moi avec elle ! cria Bouzouk.

– Et moi avec lui ! dit Miloska.

– Moi aussi ! pleurnicha Bel-Essaim. Que nos cendres s'unissent !

– C'est ça ! brailla Ganachon. Carbonise tout le monde ! Et qu'on en finisse, par Gozar !

Bouffe-Bœuf et Gorge-Vermeille s'en mêlèrent, et tous les autres en chœur. On trouvait que Ggrok tergiversait, qu'il était mou comme un poulpon et que cela suffisait.

– Moi, mou comme un poulpon ? vociféra Ggrok, dont la température augmenta encore.

Des fumerolles lui sortaient des naseaux. Jamais il n'avait subi pareil affront ! Il se tourna vers sa bande d'affreux.

– Rrôdar ! Ddrôg ! Bbâb ! Pprûut ! Mmolloche ! Ces fruquons voudraient voir la fin du monde. Allez aux quatre coins des Kronouailles et labourez, calcinez, fracassez ! Qu'à la fin il ne reste qu'un champ noirâtre et des lacs de sang ! Allez !

Ggrok reposa Miloska par terre et, à Bouzouk :

– Lorsque tout sera fini, par ta faute, par ta faute seule, des innocents iront chez Gozar par milliers. Et tu seras à moi, assassin ! J'aurai ton ombre molle !

Il y eut soudain une bourrasque fraîche dans la grotte. Quelqu'un dit :

– Tu n'auras rien du tout, pisse-fiel !

Et l'on vit les cinq dieux du Cloaque revenir tête basse, menés comme porcasses par un petit bonhomme. Il portait un habit vert, barbe et moustache blondes, bien taillées. Rien de belliqueux, une autorité calme, deux yeux très clairs. Seule chose singulière : il marchait à une coudée du sol.

– Pris la main dans le sac ! dit-il encore.

Ggrok, piteux, baissa lui aussi la tête. Sur son crâne, les serpents cessèrent de siffler. Il balbutia :

– C'était un jeu, Gozar ! Tu sais que j'aime rire.

– Tu riras moins, friquouille, quand j'aurai décidé de ton sort et de celui de tes pouaquons.

CHAPITRE 6

À PRÉSENT QUE GGROK ÉTAIT MUSELÉ, BOUZOUK ET LES siens purent se relever, les yeux écarquillés.

Gozar ! Bigrebarbon ! Gozar était venu en personne ! Et il houspillait l'infâme Ggrok ! Il le mettait plus bas que terre ! Eh quoi ! Ggrok pensait-il que lui, Gozar, le dieu des dieux, celui qui savait tout, qui voyait tout, allait laisser faire ?

– Tu as triché deux fois : en truquant le passé et en venant ici. Nous sommes des dieux, serpent ! Pas des maquignons ni des soldards ! Tes terres sont les Marais-Puants, comme Izare a ses Plaines-Rieuses. Chacun son pré ! Et les miennes sont l'Empire des ombres molles tout entier ! Avec tes manœuvres de tripotard, tu déshonores notre divin monde.

– Le petit freu m'a volé une ombre molle, Gozar ! protesta l'autre.

– Tu mens. C'est Zzar, le passeur d'ombres, qui s'en est chargé et tu le sais fort bien. Passe que tu en veuilles à ce Bouzouk et à sa bande ! C'est vrai qu'ils t'ont fait du tort. Mais le dépit n'est pas un sentiment divin ! Encore moins la vengeance ! Tu es allé trop loin, Ggrok !

Gozar mit ses mains en porte-voix :

– Zout ! Mène-moi cette clique aux portes de l'Empire.

Sous l'œil halluciné de Bouzouk, Zout se matérialisa dans la grotte. Zout, son dieu tutélaire ! Son protecteur de toujours ! Celui qu'il traitait quotidiennement de pétochard, de foireux et autres railleries.

C'était la réplique de Gozar, mais en plus mollasson, et sans barbe. Avant d'exécuter l'ordre de son père, il alla vers Bouzouk qui serra les fesses, craignant le pire. Sait-on de quoi est capable un dieu sans cesse calomnié ? Mais Zout demanda seulement au jeune homme s'il était content de ses services.

– Enchanté, ô Zout ! Sans toi, j'aurais une vie trop paisible.

Zout donna l'accolade à Bouzouk. Puis il emmena Ggrok et ses sbires là où son père lui avait dit. Ils s'évanouirent sans tambour ni trompettes.

– Zout est un bon fils, dit Gozar. Mais il lui manque un peu d'aplomb dans la cervelle.

Il soupira profondément, murmura, comme pour lui-même :

– Bah ! Ça viendra avec le temps. On a l'éternité devant nous.

Puis, à l'adresse de tous :

– Mes enfants, sachez que je garde un œil sur vous. J'aime votre équipage, faites qu'il dure tant et plus. Une compagnie comme la vôtre est rare.

Enfin, à Bouzouk, que Miloska entourait de ses bras :

– Tâche de bien user de ta mémoire, si tu la recouvres. N'oublie rien, mais il est des souvenirs qu'on doit apprivoiser.

284

Ayant donné un conseil à chacun, Gozar s'en fut. Il resta de son passage une odeur de violette, suave et douce. Et l'impression, pour tous, d'un dieu des dieux modeste, compétent, sévère mais juste.

Ce fut l'instant choisi par Roupillon, le chef des Poufs, pour apparaître dans l'orifice du troupirail. À voir Bouzouk et les autres, il comprit qu'il n'était pas le bienvenu. Mais au moment où il faisait demi-tour, le Grand Gourougou l'attrapa par un pied et, le tenant en l'air au-dessus de sa bouche :

– Où est la mafflue ? Parle ou je t'avale.

Roupillon parla. M'mandragore n'était pas loin. Ggrok l'avait simplement balancée dans le Bouchard, avec sa ribambelle de Poufs. Elle gisait parmi les fourmilles du Cuvon, avec ses crapoussins. Seul Roupillon avait réussi à remonter le tunnel. Un bel exploit réalisé naguère par les Bougres.

Bouzouk, son grimoire à la main, n'eut qu'à se laisser glisser jusqu'en bas pour retrouver la gorelle.

Elle ne fit aucun problème pour ôter du tome IV les souvenirs qui ne lui appartenaient pas. Craignant ce Petit Gourougou qui venait d'échapper, sans qu'elle sût comment, au terrible Ggrok, elle rogna ce qu'il fallait, ni plus, ni moins : la longue campagne d'un soldard de Morte-Paye en Médiome et au pays d'Atlasse, ainsi que la désertion en Assussie d'un cavalier du Kron. L'ograsse y trouva même du plaisir, car la guerre fleurait bon l'horreur, dont elle était friande. Puis, par une alchimie dont elle seule était capable, elle remit à sa place les vrais souvenirs de Martial, qu'elle avait nichés dans sa mémoire. Sans avoir eu le temps d'en user, heureusement.

Le quatrième grimoire était comme neuf.

Bouzouk la quitta sans haine. Il lui laissait la compagnie des Poufs, qui sont de joyeux lurons, lorsqu'ils ont de quoi boire.

Il remonta par le Bouchard, hop ! d'un petit coup d'orteil.

Ganachon proposa d'y balancer le reste des grimoires éparpillés dans la grotte, puis de l'obstruer définitivement de plomb. Ainsi M'mandragore aurait-elle quelques dernières lectures. Quelques rêvaillons à suçoter. C'était aussi une manière de solder gore, gorail et gorelle une fois pour toutes. Du moins l'espéraient-ils.

– Fasse que jamais pareil monstre ne se réveille un jour, déclama Mille-Mots.

En voyant dégringoler les derniers grimoires dans le Bouchard, Bouffe-Bœuf et Bel-Essaim songèrent que leur passé s'y trouvait peut-être. Ils choisirent de continuer à l'ignorer. Bouffe-Bœuf n'avait jamais été si heureux, qui aimait Gorge-Vermeille et s'en faisait aimer. Quant à Bel-Essaim, elle consacrait sa vie à un amour malheureux, qui l'occupait tout entière. Pour rien au monde elle n'aurait voulu en perdre le fil. L'espoir lui pétrissait le cœur. Qui sait si un jour son mignard ne lui reviendrait pas.

Il est des incendies que nul ne peut éteindre.

Parce que c'était là que tout avait commencé, Bouzouk décida de lire dans la grotte la fin du grimoire. Il restait très peu de pages.

Tout le monde fit cercle. C'était la première fois que le Grand Gourougou était du nombre, et il était très ému. Il savait aussi qu'à présent il tenait son Petit Gourougou. Rien n'empêcherait Bouzouk de lui succéder, dans mille ou deux mille ans. Puis il ferma les yeux, car Bouzouk commençait sa lecture.

Ou plutôt Martial de Morte-Paye, qui tremblait à l'idée de conter encore une suite composée de fer, de feu et de sang.

M'mandragore avait travaillé proprement. Le grimoire filait d'une seule plume.

Après quelques jours de campagne au pays d'Orgon, il y eut, souvenez-vous, cette halte dans les collines d'Uu. Baroud de Morte-Paye savait ce qu'il faisait : Uu était connu pour ses cascades d'eaux pimpantes, ses sources aux glouglous gais, ses ombres fraîches. On y venait pour s'y purifier, revigorer son âme. Le lieu était magique, disait-on, et restaurait les corps. Idéal pour des soldards fatigués. Morte-Paye décida d'y séjourner en attendant l'envoyé du Kron, qui les lancerait dans de nouveaux combats. On s'y reposerait, on s'y baignerait.

Ce serait l'occasion pour Baroud de côtoyer autrement son fils. Certes, ils avaient ferraillé de conserve et dormi côte à côte, à même le sol. Mais rien ne vaut le temps des courses à travers bois, des conversations. Rien ne vaut le temps de s'écouter, entre un père et un fils. Voilà ce que dit alors Baroud à son fils et Martial en fut d'accord. Après la fièvre des combats, lui aussi aspirait au repos.

Chacun crut qu'il allait faire un nouveau pas vers l'autre.

Ce fut l'inverse. Un matin, ils partirent se baigner dans un étang. Ils s'étaient promis une course à la nage et en riaient d'avance. Déjà Martial, torse nu, lançait à son père un défi.

Mais Baroud se taisait. L'œil rivé au cou de son fils, sur un collier d'orfle. Puis, s'approchant, il finit par cracher d'une voix dure comme la pierre :

– D'où te vient cette clinquaille ?

Martial porta vivement la main à son cou. Le grimoire disait bien l'orage qui gronda dans son cœur à cet instant, et sa peau soudain moite.

– D'où vient-elle ? Réponds ! criait Morte-Paye.

Martial leva le front, brava le regard de son père.

– Ce collier d'orfle était à ma mère. Je le porte depuis cinq ans.

Baroud était plus pâle qu'un linceul. D'un geste brutal, bousculant Martial, il arracha la chaîne.

– Ta mère n'existe plus, Martial. Ni pour moi, ni pour toi.

Martial, hébété, tâtait son cou dépossédé. Une haine monta en lui, qui venait de si loin, de si fort, qu'il ne put la contrôler. Il bondit sur son père en hurlant qu'il rendît le collier. Pauvre Martial. Tout soldard qu'il était, il ne faisait pas le poids contre son colosse de père, qui le repoussa d'une gifle.

– Ne recommence jamais ça, siffla-t-il.

Puis il éclata de rire, ôta ses chausses.

– Viens goûter l'étang, mon fils ! Cette eau a pansé bien des plaies !

Mais Baroud parlait à une ombre. En face de lui, il n'y avait plus qu'un jouvenceau à la joue cuisante, secoué de sanglots.

Le père pensa qu'il n'y paraîtrait plus le jour d'après.

Ce matin-là, Martial ne se baigna pas. Ni les autres jours, où il erra dans les fourmilles. Il remâchait le passé, que le geste de son père avait ressuscité. Depuis cinq ans, le collier était une cuirasse contre la violence de ceux qui l'entouraient, et sa vie de soldard. Sans lui, et l'image de sa mère, il n'aurait jamais pu tenir le coup. En l'arrachant, Baroud mettait son fils à nu.

En quelques jours, il se vida de sa violence comme une outre ouverte tombée au sol. Il lui revint les chansons de son enfance, les jeux des trouvamours, les fêtes et les danses. La douceur infinie du regard de sa mère.

Il dériva.

Et si les collines d'Uu revigorèrent comme prévu l'armée de Morte-Paye, il fut celui, le seul, qui refusa de partir. À son père qui lui ordonnait de se vêtir de fer, de s'armer, il chanta une chanson.

Et je m'en alle au gris matin
Sur ma cavale sonnant grelots

Trotte-menu, trotte-crottin
Dans la cohue du jour pâlot

— Tu es un capitaine ! rugit Baroud. Pas un torche-cordes !

Puis, plus bas, à l'adresse de ce fils qui lui échappait :

— Haïr te protégeait. Maintenant, tu vas souffrir, mon fils.

— Rends-moi le collier d'orfle, murmura Martial.

— Jamais. Ta mère était d'abord ma femme.

Déjà Baroud caracolait à la tête de son armée. Avant de disparaître dans la poussière, il hurla :

— Pour moi, tu es mort, Martial ! Mort ! De retour au fort, je t'enterrerai au cimetière des freux !

Cette phrase, la dernière qu'il entendit de la bouche de son père, résonna longtemps dans la tête de Martial. Aussi longtemps que dura sa chevauchée, dans les jours qui suivirent.

Les ultimes souvenirs le montraient à califourchon sur une monture épuisée, un soir que le vesse soufflait plus dru que jamais. Il allait vers le fort de Morte-Paye, qu'il atteindrait bientôt, songeait-il, si ce rabougri du galop se maniait le gropotin ! Il y avait là-bas quelques objets précieux qu'il voulait emporter. Avant de repartir ailleurs, loin, très loin, s'apaiser le cœur.

Le silence se fit, aussi dense qu'un poing serré, puis la couverture du grimoire claqua. Achille Bouzouk, dit Bouzouk, dit Martial de Morte-Paye, était définitivement reconstitué.

Pour le meilleur et pour le pire.

C'ÉTAIT FINI. LE MOT GIGOTAIT DANS SON ESPRIT. FINI. Bouzouk s'était redonné un passé. Fini, fini. Il aurait voulu brailler sa joie, faire des tourniquettes, chanter.

Comme il les avait désirés, ces quatre grimoires ! Il avait bataillé contre des dieux, des mages, des gredards ! Des dragons ! Il avait avalé de la glaise et des pierres ! Sifflé du kohol ! Et mille autres folies ! Par Zout l'Épinoche ! C'était de la belle ouvrage !

Pourtant d'où lui venait cet étrange vertige ? Cette impression d'inachevé ?

Pauvre courgeon, se disait-il. Tu aimes, tu es aimé, tes compagnons sont les meilleurs du monde, ta mère est vivante, tu sais qui tu es. Alors ? Pourquoi as-tu la gorge ficelée si fort ?

Autour de lui le cercle était muet, attentif. Chacun attendant patiemment que le jeune homme se sentît enfin tout à fait lui-même. Ce qui pouvait durer une éternité, soupirait le Grand Gourougou.

Ce fut Miloska qui bougea la première. Parce qu'elle seule pouvait dénouer Bouzouk. Elle enfouit son visage dans les boucles rousses, murmura : « Je t'aime, mon Bouzouk... » et lui mordilla l'oreille.

Il rit, les yeux brillants. Plein de gratitude pour cette diversion si douce. Les autres rirent aussi, et on parla d'amour, d'avenir, de voyages, bref, on oublia d'attendre. Bouzouk avait des choses à digérer et cela prendrait le temps qu'il faudrait, voilà tout. On l'aiderait, au besoin. Car on n'allait pas se quitter, bien sûr.

Miloska ne voulait pas. Ni Bouzouk, ni personne. Même le Grand Gourougou, qui aimait tant sa corniche solitaire. Ils voulaient tous rester en compagnie. D'ailleurs, Gozar ne le leur avait-il pas demandé ?

Ils se sentaient plus unis qu'ils ne l'avaient jamais été. Sans doute parce qu'ils avaient failli se perdre. Et puisque Ganachon pouvait porter sept compagnons d'un coup sans s'user la croupe, on décida de partir tous ensemble. Où ? N'importe où, dit Miloska. Droit devant nous, dit Gorge-Vermeille. Au plus loin, dit Mille-Mots.

Mais Bouzouk avait autre chose en tête.

– J'aimerais que Miloska connaisse ma mère. Nous irons d'abord au cloître d'Orfroi.

On trouva l'idée bonne et Ganachon offrit son dos à ses amis. Ils quittèrent la grotte au moment où le ciel devenait pourpre. Le soir tombait.

– En trottant, mon ami, conte-nous ton histoire, dit Bouzouk à Ganachon. Qui étais-tu avant d'être cheval ?

– Plus tard, cavalier. J'ai dit : quand tout sera fini. Et nous commençons tout juste à cheminer.

Petit sac à mots

*Où le lecteur trouvera derechef un glossaire expliquant
certains mots, dont le sens lui aurait échappé
en première lecture, suivi d'un index
des personnages & des lieux du récit.*

Illustré par Chris Riddell

À FORSSALLURE : vite.

AGRIMPER : monter sur.

AGUICHE : parfum rare.

ALAMBIQUER : compliquer.

AMOURACHE : amour.

ANGEGARDER : protéger.

ANOGRE : animal.

ARBATELLE : arme.

ARCAMUSE : arme à feu.

ARCHIDRON : titre de
noblesse.

ARCHIVÊPRE : haut grade
religieux.

AROMELLE : boisson
enivrante.

ASTOPPER : arrêter.

ATTIFON : chef de toilette.

AVALE-CROTTES : *insulte*.

BABUGLE : animal
carnassier.

BARIBOU : animal.

BARQUEROLLE : bateau.

BAUDRUCHON : ballon.

BAVOTTARD : bavard.

BAVOTTER : bavarder.

BEC-DE-GOUTRE : *insulte*.

BEC-VINASSE : ivrogne.

BÊLE-ROMANCE : chanteur.

BELLOISELLE : jeune fille.

BELLULE : insecte.

BELOISEAU : jeune homme.

BESTIARD : bête épaisse.

BIBARDON : ivrogne.

BIBONNER : boire.

BIGLER : voir.

BIGREBARDE, BIGREBOULETTE
ET AUTRES : *jurons*.

BIGRECUL DE BIGRIN DE BIGRE
DE PUPE : *juron*.

BLÊMARD : pâlichon.

BLOUQUE : animal-
entendant.

BLUTE : céréale.

BOABAB : arbre énorme.

BOGUEDOURSIN : mollusque
épineux.

BOISISSURE : odeur de bois
pourri.

BOMBARBON : petit canon.

BOUFFAILLER : manger.

BOUGLAISE : terre venue
d'Orgon.

BOUGNE : coup.

BOUGNE-LURON, BOUGNON :
brute.

BOUGNER : frapper.

BOUSARD : *insulte*.

BRAVOTTE : légume.

BRIGANDER : faire le brigand.

BUGLIN : petit instrument à vent.

CACASSER : fracasser.

CAILLOTE : petit oiseau des champs.

CAPILLE : cape large.

CATACLOP : bruit de sabots.

CAVALON : animal de trait.

CHARIOLE : charrette.

CHIARDON : mouche.

CHOPILLE : chope.

CHOUGNARD : *insulte*.

CHUUT : drogue.

CLAQUE-BEC : bavard.

CLINQUAILLE : bijou.

CLOCHAILLE : cloche.

COCHARD : chariot.

COLIBRIUS : oiselet excentrique.

COLLE-AU-DERCHE : importun.

COMPTE-CULASSE : métier militaire.

COQUOUILLON : crétin.

CORBAILLON : corbeau.

CORBIARD : *insulte*.

CORNABOUC : *juron*.

CORNACUL D'OSEILLE : *juron*.

CORNAGOUTRE : *juron*.

CORNECRU : *juron*.

COUAQUE : débile.

COUENNERIE : sornette.

COUPE-TRIPES : poignard.

COURGEON : stupide.

COURTISARD : courtisan.

COUTELEAU : arme de poing.

CRÂNE-CREUX : idiot.

CRAPION : *insulte*.

CRAPODIN : batracien.

CRAPOUILLE : petit animal.

CRAPULON : *insulte*.

CREVAILLER : mourir.

CREVISSE : petit crustacé.

CRINS-ROUGES : rouquin.

CRIQUAILLON : *insulte*.

CROCROTTIN : crottin-projectile de Ganachon.

CROQUE-CARNE : charognard.

CROQUINER : mordiller.

CROQUINEUSE : croqueuse.

CROUPILLON : parure de danseuse.

CUL-DE-GOUTRE : *insulte*.

CUL-D'ENCRE : *insulte*.

CUL-PINCÉ : *insulte*.

CUL-POINTU : *insulte*.

DANDINE-GROPOTIN : *insulte*.

DÉCALIFOURCHER : désarçonner.

DÉGALOPER : fuir au galop.

DERCHE : cul.

DINDAILLE : oiseau domestique.

DINDARD : *insulte.*

DONZARDE : *insulte.*

DRAGORET : gargouille à tête de cochon.

DRILLON : nain de cour.

DRÔLARD : *insulte.*

DUCON : monnaie de Kronouailles.

ÉCHAUFFOURRE : combat.

ÉCORCELER : dépiauter.

ÉCRABOUGNER : tabasser.

EMBÂFRER (S') : s'empiffrer.

EMBROCHAILLER : tuer.

EMBROCHE-CŒUR : arme.

EMPANACHOUILLÉ : empanaché.

EMPAPOUACHE : plume d'apparat.

EMPAPOUACHOUILLÉ : garni de plumes d'apparat.

EMPARFUMER : parfumer.

EMPICOLER (S') : s'enivrer.

EMPLUMAILLER : emplumer.

ENALLER (S') : partir.

ENCAGASSER : enquiquiner.

ENFANÇON : enfant.

ENNOUILLER (S') : s'ennuyer.

ENROUCOULER : charmer.

ENSEMAILLER : semer.

ÉPINUCHE : poisson carnivore.

ESCACADE : goulot d'étranglement.

ESCAGACHER : découper.

ESGOURDAILLE : oreille.

FARDON : maquilleur.

GOZAR

297

GORGE-
VERMEILLE

FIFRELAI : oiseau.

FIFRELUCHE : bagatelle.

FIFRELYRE : instrument
de musique.

FLAMBRE : parfum rare.

FLAP-FLAP : bruit d'ailes.

FLOPPE : beaucoup.

FLUETTE : petit nuisible.

FOIROTTEUX : maladroit.

FOUCHTRADIEU : *juron*.

FOURMILLE : buisson.

FOUTRENIQUON : *insulte*.

FRELUQUE, FRELUQUIN,
FRELUQUON : *insultes*.

FRÉTILLE : poisson.

FREU : homme médiocre.

FRIPARD : coquin.

FRIPONNER : faire le fripon.

FRIQUOUILLE : *insulte*.

FRISOTTIN : coiffeur.

FRIZZAR : vent de givre.

FROUARD : imbécile.

FROUILLE : charognard.

FRUQUON : *insulte*.

FUMAILLE : fumée.

GALIPONNE : roulade.

GAMBILLE : danse endiablée.

GAZOUILLEUX : chanteur.

GIGOTE-CROUPION : *insulte*.

GLANDU : fainéant.

GLAVIOTTE : insecte
cracheur.

FARIBIOLE : bibelot.

FICHTREBOUQUE,
FICHTREBRIGUE ET AUTRES :
jurons.

GLÉBEUX : paysan.

GLONX : insecte.

GLUACE : mollusque.

GLUTH : instrument à cordes pincées.

GNOUR : oiseau noir et bavard.

GOBARD : anguille.

GOBE-GOUTTES : ivrogne.

GORAIL : endroit où sont entreposés les grimoires.

GORE : vol de mémoire.

GORELLE : celle qui pratique la gore.

GORER : pratiquer la gore.

GORYXX : animal monstrueux.

GOSIER-D'OR : excellent chanteur.

GOULAVENT : grande gueule.

GOURDINER : bastonner, battre.

GOUTRE : oiseau gourmand.

GRABON : jambon.

GRADODU : gros.

GREDARD : gredin.

GRELON : gros insecte.

GRENUCHE : femme de mauvaise vie.

GRENUCHON : homme de mauvaise vie.

MILOSKA

GRIFFLON : chien à tête de lion.

GRONDARD, GRONDASSE : *insultes*.

GRONDIN : scélérat.

299

GROPOTIN : fesses.

GROULACHE : petit animal.

GROUPILLER : faire la sieste.

GROUPILLON : sieste.

GRUCHE : animal à pis.

GRUON : homme-échassier.

GUENILLON : pauvre hère.

GUERRILLARD : garde du Prinz Zzar.

GUEUSARD : gueux.

HALLEBARQUE : arme à lame effilée.

HERBAILLE : herbe haute.

Ggrok

HUPETTE : parfum rare.

KOHOL : alcool.

LABOURRIN : cheval de trait.

LANGOTTIN : anguille.

LARMICHER : pleurer.

LENTILLON : plante d'eau.

LÉZARDON : petit lézard.

LIBELLON : courtisard coquet.

LOMBRIQUON : ver de terre.

LORGNE-BIGLE : longue-vue.

LOUPILLE : saut en boucle.

LYSSE : fleur.

MAGILLON : mage médiocre.

MANGE-MÉMOIRE : voleur de souvenirs.

MANGE-PETS : *insulte*.

MANIVIELLE : instrument à cordes frottées.

MARÉCHASSE : marais profond.

MARÉCHON : haut grade dans l'armée.

MARMOTIN : enfant.

MARQUISARD : titre de noblesse.

MOK : oiseau railleur.

MOLLACHON : légume.

MOLLUSQUON : *insulte*.

MORVAILLE : *insulte*.

MOSKA : danse.

MOUCHIARD : mouchard.

MOULÂCHECOUARD : plus-que-poltron.

NAVE : légume.

NIFLER : flairer.

NUPHAR : plante aquatique.

ODIANE : plante.

OGRASSE : femme énorme.

OISELART : individu.

OLIVRE : fruit.

OLIVRIER : planteur d'olivres.

OMANGUE : fruit.

OMBRE (MOLLE) : âme d'un mort.

ONGRE : animal sauvage.

OPAZE : pierre jaunâtre.

ORFLE : pierre précieuse.

ORGANDIVE : fleur.

ORIFLAN : animal de foire.

ORJAT : céréale.

ORPAILLON : planteur de pépites.

ORTILLON : plante urticante.

OUFFE : animal graisseux.

OUICHE : oui.

PAPOTE : art du récit.

PAVOTTE : danse.

PEAU-DE-COURGE : *insulte*.

PEIGNE-TROU : *insulte*.

PERCE-GORET : tueur de cochon.

PERCE-PANSE : assassin.

PERRUCHIÈRE : marchande de perruches.

PERRUQUERIE : où on range les perruques.

PÉTOCHION : lâche.

PICAILLE : métal précieux.

PIOQUE : pieu.

PIPONNER : pomper.

PIQUARD : soldard armé de pique.

PIQUEMUCHE : arme de jet.

PIS-QUE-POUAQUE : *insulte*.

PISSARD : *insulte*.

PISSE-EN-CHAUSSES : peureux.

PISSE-ÉTRON : *insulte*.

PISSE-FIEL : méchant.

PISSE-JOIE : heureux.

PISSE-POUAQUE : formule rituelle d'égorgement.

PISSE-RIMAILLE : poète.

PISTOUILLE : niais.

PISTOUNET : *jeune homme*.

PLEURIOTE : créature à quatre yeux.

POIVRONNE : parfum rare.

POMPONNETTE : maquillage.

PORC À PIQUE : injurieusement, soldat.

PORCASSE : porc.

POT-À-GLU : importun.

POUAQUE : animal très laid, très naïf.

POUAQUON : petit pouaque.

POUILLARDISE : injure.

POULPON : *insulte*.

POUPILLON : papillon.

POURRACHER : pourrir.

POUSSE-CHANSON : chanteur.

POUSSE-POUAQUES : meneur de pouaques.

POUTRACHIURE, POUTRAFLOTTE ET AUTRES : *jurons*.

PRANQUELLE : arme lourde.

PUE-D'AISSELLE : parfumé.

PUE-POUAQUE : cri de défiance des Bbogues.

PUEUX : malodorant.

PULPON : mollusque vénéneux.

PUROLIN : *insulte*.

RABOULER (SE) : se presser.

RACUIT : fichu.

RAMENTIR : mentir encore.

RAPIASSE : oiseau carnivore.

RAPINER : piller.

RATACUIRE : bouillir.

RÊVAILLON : rêve.

RIFLAR : oiseau-ombrelle.

RIMAILLE : vers.

RONFLOTER : ronfler.

ROUARD : rusé.

ROUBARBE : légume.

ROUCRIN, ROUPOIL : rouquin.

RUCHASSEUR : chasseur d'abeilles.

SAC À GOUTRE : *insulte*.

SAC À PICOLE : ivrogne.

SAC À PITRE : *insulte*.

SACRIPAUD : pervers.

SAPRISTIE : sacristie.

SAUTE-GLOUTON : cabriole.

SCRIBROUILLON : écrivain.

SERPAILLE : arme.

SERRE-CUL : peureux.

SKONJ : animal mystérieux.

SOLDARD : soldat.

SOUQUE : action de ramer.

SUÇAILLER : aspirer.

TAILLOTER : trancher.

TÉNÉBRELLE : plante noircissante.

TÊTE À GNONS : *insulte*.

TORCHE-CORDES : musicien.

TORTILLE-CUL : *insulte*.

TOUPILLER : tourner.

TOUPILLOTTE : toupie.

TOUPINE : danse.

TOURNIQUETTE : saut en vrille.

TOUT-NU : celui qui surgit du Bouchard.

TRANCHAILLER : égorger.

TRANCHE-BOURSE : voleur.

TRANCHE-COL : bourreau.

TRAQUE-BBOGUE : cri de chasse aux Bbogues.

TRAQUE-PROIE : auxiliaire de chasse.

TRIMBILLER : porter.

TRIPOTARD : tricheur.

TROMPELETTE : instrument à vent.

TROUAILLER : trouer.

TROUE-BEDON, TROUE-BEDAINE : soldat.

TROUPAILLE : troupe à pied.

TROUPIRAIL : entrée du Bouchard, par l'antre de M'mandragore.

TROUVAMOUR : troubadour.

TROUYÈRE : habitation troglodyte des Bougres dans le Cuvon.

TUBAR : oiseau chanteur.

URLURE : végétal.

VENTRACORNUE, VENTRAGIGUE ET AUTRES : *jurons*.

VENTRECUL, VENTREPAPE ET AUTRES : *jurons*.

VIDE-CHAUSSES : voleur.

ZIZOULIZOULI : oiseau de proie.

ZOL : épice.

ZOLIER : ouvrier dans les mines de zol.

ZONZOTTE : jeu de cartes.

ZOUAILLE : fidèle d'une paroisse.

Index des personnages

ABBA (PAULIN D') :
trouvamour, amant
de dame Guilledouce.

AMADOU : dieu des
trouvamours.

BBÂB : dieu des vauriens.

BBLETTE : mercenaire
sanguinaire et ombre
de guerrillard.

BBOGUE : sorcier, prêtre
du temple de Ggrok.

BBROIN : créature des
Marais-Puants.

BEL-ESSAIM : Bougresse.

BEURK LE MOK : marin.

BOUFFE-BŒUF : Bougre.

BOUGNE-SEC : chef des
gardes.

BOUGRE : habitant du
Cuvon.

BOUILLOTTE (DAME) : femme
de Trousse-Cœur.

BOUTE-BAC : capitaine
de barquerolle.

BOUZOUK (ACHILLE) : héros
de ce récit.

BUGLE-D'OR : chambellan
du Kron.

CRASSE-POGNE : maître
des mines de picaille.

CUL-JAUNE : un Bbogue.

DDRÔG : dieu des Marais-
Puants.

DEUX : fils puîné
de M'mandragore.

DROL : vaurien.

FRUSQUIN : attifon du prince
Zonzon.

GANACHON : cheval et ami
du héros.

GGROK : dieu, maître
des Marais-Puants.

GLOUSSE-BEC : trouvamour.

GORGE-VERMEILLE :
trouvamour.

GOZAR : dieu des dieux.

GRAND-CLERC : moine
mercenaire.

GRAND GOUROUGOU (LE) : mage.

GUELAIVRE : reine d'Assussie, mère de Miloska.

GUEULE-D'ANGE : autre nom de Ganachon.

IZARE : dieu, maître des Plaines-Rieuses.

KABOK : déesse de l'amour.

KNUT LE RETORS : père de Knut le Fourbe, roi d'Opule.

KRABOUSSE (LE) : dragon du Cuvon.

KRON (LE) : roi des Kronouailles.

KRONE (LA) : reine des Kronouailles.

LOPIN : vaurien.

MALEBASSE : charlatan.

MASCARON : perruquier.

MATAFFES : hordes de pêcheurs d'Orgon.

MILLE-MOTS : écrivain, poète.

MILOSKA : princesse d'Assussie, fille adoptive du Kron.

MMALVIL : chef des Bbogues.

M'MANDRAGORE : gorelle, voleuse de mémoire.

MMOLLOCHE : dieu des Marais-Puants, chargé, avec ses Bbroins, des marmites où bouillonnent les ombres molles.

MORTE-PAYE (DAME GUILLEDOUCE DE) : mère de Martial de Morte-Paye.

MORTE-PAYE (MARTIAL DE) : fils de Baroud et Guilledouce. Véritable nom d'Achille Bouzouk.

MORTE-PAYE (SIRE BAROUD DE) : père de Martial de Morte-Paye.

Ô : dieu des poètes.

PERCE-CROUPE : maréchon du prince Zonzon.

PETIT GOUROUGOU (LE) : nom de mage d'Achille Bouzouk.

PIPUZE : dieu des artifices.

POUF : nain brigand.

POUPIN : autre nom de Mmalvil.

POUPIOL : chef des gruons.

PPASQUIN : bouffon du Prinz Zzar.

PPRÛUT : dieu des bourrasques.

PSYCH : dieu des miroirs.

RIGODON : trouvamour.

ROUPILLON : chef des Poufs.

RRÔDAR : dieu des Marais-
Puants.

SILENCE (SŒUR) : nom de
moniale de Guilledouce.

TAILLE-COUENNE : chirurgien
du Kron.

TÊTE-BIBON : capitaine
du prince Zonzon.

TOISON-ROUGE :
surnom donné
à Bouzouk
par Frusquin.

TRAÎNE-SOUCHE :
ancien Bougre,
dame de
compagnie
du prince Zonzon.

TROIS : fils cadet
de M'mandragore.

TROUSSE-CŒUR :
trouvamour, amant
de dame Bouillotte.

UN : fils aîné
de M'mandragore.

VALADINGO : dieu.

YYÂAR : chef des
guerrillards.

ZONZON : prince
de Kronouailles.

ZOUT : dieu tutélaire de
Bouzouk, et fils de Gozar.

ZSABOR : roi d'Assussie, père de Miloska.

ZZAR (PRINZ) : seigneur de Terre-Noire et passeur d'ombres.

Index des lieux

Uu : collines du pays
d'Orgon.

Ziao : empire lointain.

Zoleil : cité minière
de Kronouailles.

Zwmlgfsct (gorges d') :
défilé entre les

Kronouailles et le
royaume d'Opule.

Zyxx : fleuve de
Kronouailles.

Au grand Didier Dalem
le vaillant paladin
qui permit sans ambage
à l'aède badin
de ciseler ces pages

Bouzouk Trouvamour

**Le Cavalier sans nom
Livre 1
La Compagnie des oubliés**

Perdre son nom et tous ses souvenirs ; n'être plus qu'une ombre dans la nuit... Y a-t-il pire cauchemar ?

Telle est l'histoire d'Achille Bouzouk, dont on a volé la mémoire, un terrible soir d'orage. De quoi sombrer dans la folie... À moins de se révolter, et de combattre l'oubli.

**Chroniques
du bout du monde**
de Paul Stewart
et Chris Riddell

**Tome 1
Par-delà les Grands Bois**

Lieu de ténèbres et de mystère, les Grands Bois offrent un asile rude et périlleux à ceux qui les habitent. Et ils sont nombreux : trolls des bois, égorgeurs, gobelins de brassin, troglos... C'est là que vit Spic, du clan des trolls des bois. Il est troll et pourtant...
Trop grand, trop maigre, il est différent. Tellement différent qu'il doit fuir, par-delà les Grands Bois. Mais surtout, surtout, sans jamais sortir du sentier. Jamais...

Chroniques
du bout du monde

Tome 2
Le chasseur de tempête

Ville de mystères et de danger, Sanctaphrax peut tout offrir au visiteur : argent, bonheur, pouvoir, mort... Spic, nouvellement enrôlé dans l'équipage du Chasseur de tempête, est envoûté par la cité flottante. Mais Sanctaphrax est en danger... Sa survie dépend du phrax de tempête, une substance qui maintient son équilibre. Sans lui, la ville briserait ses amarres, et s'envolerait dans le ciel à tout jamais...

Or le phrax ne peut être récolté qu'au cœur même de la Grande Tempête, à l'instant où elle est la plus violente. Un seul navire est capable d'affronter une telle violence : *Le chasseur de tempête...*

Chroniques
du bout du monde

Tome 3
Minuit sur Sanctaphrax

Loin, très loin dans le ciel infini, un redoutable danger menace : c'est la Mère Tempête. Celle qui détruit tout sur son passage. Celle par qui tout meurt et tout renaît. Sanctaphrax se trouve sur son chemin, mais personne ne le sait. Seul Spic pourrait éviter le désastre.

Avec son nouvel équipage, le jeune pirate du ciel s'est aventuré bien au-delà du bout du monde. Il a découvert ce qui se prépare. Mais lors de son voyage, il est projeté au cœur du Jardin de pierres. Et Spic perd la mémoire...

Chroniques du bout du monde

Tome 4
Le dernier des pirates du ciel

Maladie de la pierre.

Quatre mots qui ont tout changé. Tout : la cité volante de Sanctaphrax ne flotte plus, les bateaux de la Ligue sont cloués au sol, les pirates du ciel ont disparu à jamais... Comble de malheur, une lutte à mort a placé l'usurpateur Vox Verlix au pouvoir. Les érudits, qui régnaient jadis en maîtres, sont désormais condamnés à vivre clandestinement, dans la fange des égouts d'Infraville.

C'est là, au cœur d'un dédale de salles souterraines, que vit Rémiz, un jeune sous-bibliothécaire de 13 ans. Orphelin, il ne sait rien de sa naissance. Il ne sait rien non plus de l'intérêt que les érudits lui portent. Et surtout, il ne sait rien du destin qui l'attend...

Chroniques
du bout du monde

Tome 5
Vox le Terrible

Vox Verlix. Dignitaire suprême de Sanctaphrax. Un tyran.
Mais un tyran de papier, qui vit reclus dans un palais déla-
bré. Un obèse alcoolique qui, dans ses moments de luci-
dité, élabore des plans de vengeance. Quand Rémiz, le
jeune chevalier bibliothécaire, découvre ces projets, il est
glacé d'effroi : car c'est toute la Falaise qui est menacée.

Chroniques
du bout du monde

Tome 6
Le chevalier
des clairières franches

Infraville est détruite. Ses habitants ont tout perdu.
Guidée par les chevaliers bibliothécaires, la foule des
Infravillois se prépare à un long exode. Direction : les
Clairières franches, le seul espace de liberté qui subsiste
encore, au cœur des Grands Bois. Un long et périlleux
voyage...

Une première version de ce roman, illustrée par Mazan, a été
publiée en deux tomes aux éditions Casterman, sous les titres
La Balade du Trouvamour et *Dans les griffes de Ggrok*.
Achevé d'imprimer en France
par France Quercy à Cahors
Dépôt légal : 1er trimestre 2006
N° d'impression : 60068/

Imprimé en France